MYNYDD PARYS

Llyfrau Llafar Gwlad

MYNYDD PARYS

Lle bendith? – Lle Melltith Môn

J. Richard Williams

Argraffiad cyntaf: 2011

Rhif rhyngwladol: 978-1-84527-300-2

Mae'r cyhoeddwr yn cydnabod cefnogaeth ariannol
Cyngor Llyfrau Cymru

Cynllun clawr: Sion Ilar

Cyhoeddwyd gan Wasg Carreg Gwalch,
12 Iard yr Orsaf, Llanrwst, Conwy, LL26 0EH.
Ffôn: 01492 642031 Ffacs: 01492 641502
e-bost: llyfrau@carreg-gwalch.com
lle ar y we: www.carreg-gwalch.com

Argraffwyd a chyhoeddwyd yng Nghymru.

I gofio fy nghyndeidiau
a fu'n gweithio yn y mynydd.

*Diolch i Gwilym T. Jones am ei gyngor;
i Gwyn a John Parry am ganiatâd i ddyfynnu o'u gwaith
ac i Mavis am ei hamynedd.*

Amlwch! Ow! synnwch wrth sôn – ffei 'honi
Ffau hynod ddrwg-ddynion;
Lle ofer. Och o'r llyfon,
Lle bendith? – Lle melltith Môn.

Dafydd Ddu Eryri
(*Corff y Gaingc*, t. 446, 1796)

Cynnwys

Cyflwyniad

Un o arferion mwyaf diniwed Monwysion yw'r duedd i alw rhannau o'r famynys yn 'fynyddoedd' – tuedd sy'n cythruddo rhai o'u cefndryd ar y tir mawr sydd wedi byw yng nghysgod ac ar lethrau ucheldiroedd megis Eryri efallai. Yn ei ddyddiadur sy'n cofnodi taith drwy Ynys Môn ym mis Rhagfyr 1802, mentrodd y Parchedig John Skinner y sylw hwn am Fynydd Parys: '*... and though denominated a mountain, in Caernarvonshire, at least would be deemed a very inconsiderable hillock ...*' ond i drigolion gwastatir yr ynys mae unrhyw godiad tir yn haeddu gwell na'r gair llafar gwlad 'poncan', felly i bobl Gwlad y Medra 'mynyddoedd' pia' hi.

Ymysg y 'mynyddoedd' hyn mae rhai fel Mynydd Twr, sy'n taflu ei gysgod dros Gaergybi. Hwn yw 'mynydd' uchaf Ynys Môn, yn cyrraedd hyd at 220 metr uwchlaw'r môr. Un arall yw'r urddasol Fwrdd Arthur ar ochr ddwyreiniol yr ynys. Ond o blith holl 'fynyddoedd' Môn, yr un sydd â'r hanes mwyaf diddorol iddo yw Mynydd Parys. Heddiw, anialdir ydyw sy'n denu ymwelwyr i ryfeddu at y cerrig a'r creigiau amryliw ac i synnu at absenoldeb arwyddion byd natur ei gyffiniau, a daw hefyd gwmnïau teledu a sinema i ffilmio yno yn eu tro. Ond y mae'n safle ddiwydiannol hanesyddol o bwys – safle a fu unwaith yn fyd-enwog, gan arwain y Chwyldro Diwydiannol yn ei thro ac a fu'n gyfrifol am ddatblygiad tref a phorthladd Amlwch. O'r anialdir hwn y rheolwyd y farchnad gopr fyd-eang ar un cyfnod, a hynny yn sgil un o fentrwyr mwyaf byd busnes ei gyfnod, un a gâi ei adnabod fel 'Twm Chwara' Teg' gan ei weithwyr. Ac yn ôl Edwin Cockshutt, i gopr Mynydd Parys y mae'r diolch am lwyddiant Nelson, gan i'w longau ef gael eu gwain o gopr y mynydd hwn.

Mae hanes y mynydd a'r cloddfeydd copr yn ymestyn yn ôl drwy gyfnod cyn-hanes, cyfnod y Rhufeiniaid, cyfnod y Tuduriaid ac oes aur diwydiant ym Môn ac ym Mhrydain.

I lawer o gyn-ddisgyblion Ysgol Syr Thomas Jones, Amlwch yn yr ugeinfed ganrif, lle i redeg o amgylch ei odrau neu i redeg drosto fu'r mynydd; roedd ei hanes yn eitha' dieithr iddynt, a chyrraedd yn ôl i'r gampfa mewn da bryd yn llawer pwysicach na phwy neu beth oedd yn gyfrifol am gyflwr moel eu llwybrau. Mae'n debyg iddynt sylwi ar y diffyg tyfiant, ac fe wyddent am ddrwg-effaith y dŵr a'r pridd asidig ar wadnau eu hesgidiau 'dal adar'. Ond

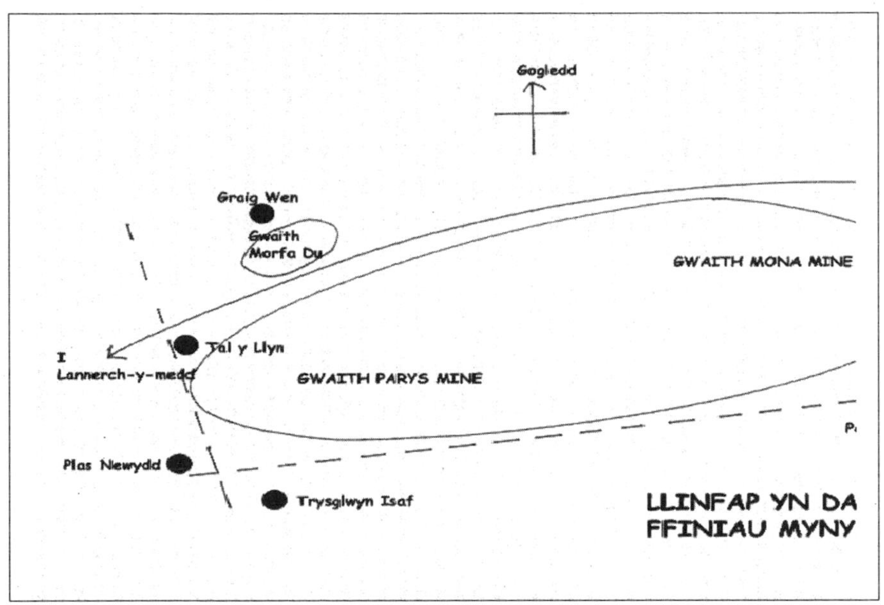

Ffiniau Mynydd Parys

gyda gobaith, wrth iddynt gerdded llwybrau'r mynydd a strydoedd Porth Amlwch heddiw, maent yn llawer mwy ymwybodol o'r hanes sydd, yn llythrennol, dan eu traed.

J. Richard Williams
Mai 2011

Copr

Mae copr wedi bod yn cael ei ddefnyddio ers o leiaf 7000 o flynyddoedd. Yn y cyfnod cyn-hanes fe'i defnyddid yn helaeth am ei fod yn gymharol hawdd i'w drin ac yn llawer gwell na charreg wrth wneud addurniadau, arfau a llestri. Wrth boethi'r mwyn copr, daw yn llai brau ac yn haws i'w weithio. Yr enw ar y broses o boethi'r mwyn a gweithio'r copr yw 'tymheru' ac o ddilyn y broses gellid cael ymyl galed a min ar arfau. Gyda mwyn copr, yn aml iawn, ceir mwynau eraill ac er mwyn eu gwahanu rhaid mynd drwy'r broses o fwyndoddi. I fwyndoddi 1 kg o gopr a'i wahanu oddi wrth fwynau eraill rhaid defnyddio hyd at 300 kg o siarcol, a arferai ddod o tua 5 metr^3 o goed. Datblygiad llawer mwy diweddar oedd defnyddio ffwrnais ar gyfer mwyndoddi ac o ganlyniad i'r broses hon darganfuwyd y gellid castio'r metal i siapiau gwahanol, yn ogystal â'i gymysgu i gynhyrchu aloi o efydd. Rai miloedd o flynyddoedd yn ddiweddarach, darganfuwyd sut i gynhyrchu pres drwy gymysgu copr a sinc.

Daw'r gair 'copr' o'r Lladin 'cuprum' am iddo gael ei fwyngloddio'n helaeth yng nghyfnod y Rhufeiniaid ar Ynys Cyprus ym Môr y Canoldir. Cysylltwyd copr â'r dduwies Aphrodite neu Fenws (Gwener) ym myd mytholeg a chydag Ynys Cyprus oherwydd cysylltiadau'r dduwies honno â'r ynys. Yn wyddonol, pennwyd y symbol **Cu** arno, a'r Rhif Atomig 29. Mae'n toddi ar dymheredd o 1083.4 gradd canradd ac yn berwi ar dymheredd o 2567 gradd canradd.

Mae copr yn fetal hydrin iawn a gellir ei drin mewn sawl ffordd heb iddo hollti. Y mae hefyd yn fetal hydwyth iawn a gellir poethi a rowlio bar 4 modfedd o drwch i lunio gwifren deneuach na blewyn gwallt, a honno dros 2,000,000 llath o hyd. Gellir hefyd gywasgu copr i haen 1/500 modfedd o drwch nes bod golau'n ymddangos drwyddo.

Mae'n rhaid cael o leiaf 2 kg o gopr i bob 1000 kg o fwyn er mwyn cael gwerth o'i wahanu o'r graig. Copr yw'r ail fetal mwyaf ei ddefnydd yn y byd ac ar wahân i aur ac arian, copr yw'r dargludydd trydan gorau. Y mae hefyd yn ddargludydd gwres ac fe'i defnyddir mewn rhewgelloedd, gwresogyddion ac offer coginio ac mae'n gwrthsefyll rhwd. Os caiff ei adael mewn lle llaith, bydd ei liw orengoch yn troi'n frown ac fe fydd yn magu haen o 'batina' gwyrdd golau.

Gan fod copr mor ddefnyddiol a'i bris yn gymharol rhesymol ochr yn ochr ag aur ac arian, fe'i defnyddir mewn sawl diwydiant. Er enghraifft, defnyddir hyd at 450 pwys mewn adeilad/tŷ 2200 troedfedd sgwâr, rhwng 50 a 80 pwys mewn car, ac ar gyfer un awyren Boeing 727 mae angen o leiaf 9000 pwys o gopr. Nodwedd bwysig arall a berthyn i gopr yw'r ffaith y gellir ei ailgylchu'n llwyr heb iddo golli dim o'i ansawdd. Haearn, alwminiwm a chopr yw'r tri metal a ailgylchir amlaf a chredir bod hyd at 80% o'r holl gopr a gloddiwyd erioed yn parhau i gael ei ddefnyddio!

Daeareg

Diolch i effeithiau diwydiant y gorffennol a phrosesau daearegol, mae Mynydd Parys erbyn heddiw yn edrych yn ddigon arallfydol a bygythiol i'r safle gael ei dewis fel set i ffilmiau a rhaglenni teledu ffugwyddonol wedi'u lleoli yn y dyfodol neu yn y gofod.

Yn y ddwy filltir sgwâr a gynhwysir o fewn terfynau'r mynydd, ceir amrywiaeth o greigiau wedi'u mwneiddio i greu dyddodyn polymetalaidd copr-plwm-sinc-aur ac arian. Ffurfiwyd y mwynau gan effeithiau folcanig. Yn ôl y daearegwr Gwilym T. Jones:

> Yn sgil symudiadau tectonig y cynnwrf Caledonaidd, plygwyd dilyniant o haeanu Ordofigaidd, tua 450 miliwn o flynyddoedd yn ôl yn synclein anghymesur ddyfn sydd yn rhedeg o'r gorllewin i'r dwyrain a'r haen hynaf a chyfoethocaf o ran mineralau yn dod i'r brig ar gopa'r mynydd.

Yn yr haen yma ceir amrywiaeth o fwynau gan gynnwys: mwyn sinc – *sphalerite*; mwyn plwm – *galena*; mwyn plwm – sylffwr plwm (wedi ei ddarganfod ym Môn ac ar Fynydd Parys gan William Withering yn 1783 ac a ailfedyddiwyd yn *anglesite* yn 1832); mwyn copr – *chalcopyrite* a *pyrite*, a mwynau arian ac aur ar raddfa llawer llai.

Yn ystod y cynnwrf daearegol hwn, cymysgwyd mwd o wely'r môr â mwynau metal. Treiddiodd magma chwilboeth, hylifol o graidd y ddaear i'r wyneb a threiddio, ar ffurf ager a nwyon poeth, i mewn i greigiau eraill. Plygwyd ac ailblygwyd y creigiau sawl gwaith a chreu mwyn cryfach/purach bob tro. Gydag effaith gwahanol elfennau erydol ar y mynydd, mae'r creigiau yno wedi newid eu lliw i goch, brown, melyn ac oren ond wedi gwahanu'r metal o'r creigiau lliwgar hyn, gadawyd gwastraff asidig a greodd ddiffeithwch o ran byd natur ond sydd erbyn hyn yn dechrau denu planhigion a chen yn ôl i gynefin y mynydd.

Mae'r daearegwr Edward Greenly wedi rhestru 66 o wahanol greigiau ym Môn. Lle'r oedd/mae cyflenwad digonol, manteisiwyd ar hynny, e.e. chwareli Penmon (calchfaen), Gwalchmai (gwenithfaen) a Chaergybi (cwartsid). Mewn safleoedd eraill ceid mwynau mwy gwerthfawr. Cyfeiria Goronwy Owen at y cyfoeth hwn yn ei 'Gywydd Hiraeth am Fôn':

Am wychder, llawnder, a lles,
Mwnai ymhob cwr o'i mynwes ...
A'i thôrog wythi arian,
A'i phlwm a'i dur yn fflam dân!

Gwelwyd mwyngloddio ar raddfa wahanol mewn sawl man:

1. Pant y Gaseg, ger Porth Llechog – cloddiwyd copr, sinc a siderite (mwyn magnetig) yma. Caewyd y gwaith yn 1916.
2. Rhosmanach, Dulas – copr
3. Bronheulog, Llanfaethlu – copr
4. Rhos-goch – copr
5. Trwyn y Gader – copr; mae dwy ogof, Ogof Aur ac Ogof Arian gerllaw
6. Dulas – plwm
7. Rhydwyn – haearn
8. Porth Dafarch, Caergybi – copr
9. Dinas Gynfor – copr

Gweithfeydd cymharol fychan oedd y rhai uchod ond fe ddaeth cyflenwad o gopr i'r amlwg ym Mynydd Parys a fyddai'n tanseilio pob gwaith arall ym Môn.

Lleoliad y Mynydd

Yn y llyfryn *Rhwng Môr a Mynydd*, cafodd Amlwch a'r ardal gyfagos ei disgrifio gan H. Rees Ellis fel ardal 'y llynnoedd llonydd'. Er i ambell un geisio diffinio'r enw Amlwch fel 'aml+hwch' neu 'aml+och', ystyr yr enw yw un ai 'lle â llawer o lynnoedd o'i gwmpas' neu 'lle o gylch neu o gwmpas llyn'. Ystyr 'am' yw 'o gwmpas, yn ymyl, yr ochr arall' a daw'r gair 'llwch' o'r Aeleg *'loch'* neu *'lough'*. Ceir gair tebyg iawn yn y Gernyweg hefyd – *'logh'*, sef 'hafn' neu 'harbwr'. Gwelir yr uchod mewn enwau lleoedd fel Loch Ness yn yr Alban, Lough Neagh yng ngogledd Iwerddon a Looe yng Nghernyw. Credir bod y llyn gwreiddiol yn Amlwch rhwng eglwys y plwyf a'r Borth (Porth Amlwch) ond ei fod, erbyn hyn, wedi diflannu'n llwyr. Y mae nifer o lynnoedd o hyd yn yr ardal ond nid rhai naturiol ydynt. I lawer o blant y fro 'y pyllau paent' oeddynt, yn llawn dŵr gwenwynig. Oherwydd hynny, eithriad yw gweld unrhyw lun o fywyd ynddynt ac ni fuont erioed yn gyrchfan chwarae i blant gan gymaint y llygredd. Addas iawn felly oedd disgrifiad H. Rees Ellis o'r ardal.

Wrth hedfan dros Fôn, nid yw'n gamp canfod Mynydd Parys gan fod ei greigiau amryliw a'i byllau dŵr llonydd, marwaidd yn amlwg iawn. Saif ynghanol caeau gwyrddion yr ynys (cyfeirnod SH 444 905 neu Ll. 53:23:19 Gog. H.4:20:36 Gor. ar fap yr Arolwg Ordnans) ac fe ellir cerdded yno neu fynd mewn car drwy ddilyn y ffordd B5111 o Lannerch-y-medd i Ros-y-bol ac ymlaen dros y mynydd i gyfeiriad Amlwch. Wedi cyrraedd at y postyn trigonometrig sydd ar ben y mynydd, ac os yw'n ddiwrnod braf a chlir, gall rhywun fod fel Lewis Morris pan oedd yntau ar ben mynydd cyfagos Mynydd Bodafon, a gweld i bellafoedd byd, hyd at bum teyrnas wahanol – teyrnas Cymru, teyrnas Lloegr, teyrnas Iwerddon, teyrnas Ynys Manaw a Theyrnas Nefoedd! (Credai Lewis Morris y gallai weld yr Alban hefyd o ben Yr Arwydd (Bodafon) ar ddiwrnod eithriadol o glir.)

Wedi teithio ar hyd y ffordd fawr a chyrraedd canol anialdir Mynydd Parys, lle yn union mae rhywun? Rhan o blwyf Amlwch yw'r mynydd, rhyw filltir a chwarter i'r de o Eglwys Sant Eleth, eglwys y plwyf. O'r gogledd-ddwyrain i'r de-orllewin mae'n mesur tua milltir a chwarter o hyd, ac yn gwta filltir o led, o'r gogledd i'r de, ac fe saif 147 metr uwchlaw'r môr. O'i amgylch gwelir ffermydd, tyddynnod a chartrefi oedd â'u henwau'n canu i gerddoriaeth sŵn morthwylion gweithwyr y mynydd, e.e. Pen y Mynydd, Cae Syr Nicholas, Cae Syr Rhys, Rhos yr Oer Faes, Bryn Goelcerth, Plas y Ffrwd, Brickpool Street, Brick Street, Lime Kiln Lane, Carreg y Gath, Cerrig Mân, Cerrig y Bleiddia(u), Bonc Eithin a.y.b.

O ddilyn y ffordd B5111 ger godrau'r mynydd, deuir i Bentre Felin, heibio Madyn Dusw a'r Grogan Goch cyn mynd i lawr yr allt drwy gyrion tref Amlwch i'r Borth, neu Borth Amlwch. Ni fyddai'r naill le wedi bodoli heb y llall, er, ar un cyfnod, lle digon di-nod ydoedd. Mor ddi-nod mewn gwirionedd fel na welai Lewis Morris fawr ddim yno i godi ei galon, na fawr o ddiben chwaith mewn cyhoeddi cynllun o'r lle yn ei *PLANS OF HARBOURS, BARS, BAYS AND ROADS IN ST.GEORGE'S CHANNEL* a gyhoeddwyd 29 Medi 1748. Dyma'i ddisgrifiad yn y gyfrol honno:

> *AMLWCH. DESCRIPTION.*
> *This is ſmall Creek, two Miles to the Weſt of Elianus's Point, in the North of Angleſey.*
> *I did not think it worth while to pubilſh a Plan of this, as it is now, becauſe it is no more than a Cove between two ſteep Rocks, where a Veſſel hath not Room to wind, even at High-water. But a large Veſſel might be ſaved here, in Caſe of Neceſſity, provided the Mouth of the Harbour can be diſcovered, which is now diffiicult for a stranger.*
> *IMPROVEMENTS.*
> *Two White Houſes, for Land-marks, one on each Side the Harbour's Mouth, would make the Entrance conſpicuous to any Stranger; the Eaſtern-most Mouſe, a ſmall Iſland near the place, being a good Direction till you come cloſe to the Shore ...*

Dioddefodd Amlwch y cyfnod hwnnw enw drwg ond diolch am rai a welodd drwy fwg drwg y mynydd. Yn ei ddyddiadur i gofnodi taith drwy ogledd Cymru, meddai Arthur Aikin:

> *... we were much pleased with seeing the scars of rock between the town and the sea, occupied by numerous groups of men, women and children, all neat and tidy and in their best clothes, it being a Sunday, who were enjoying the mild temperature of a summer evening, redeemed refreshing by the neighbourhood of the sea ... Out of the whole number*

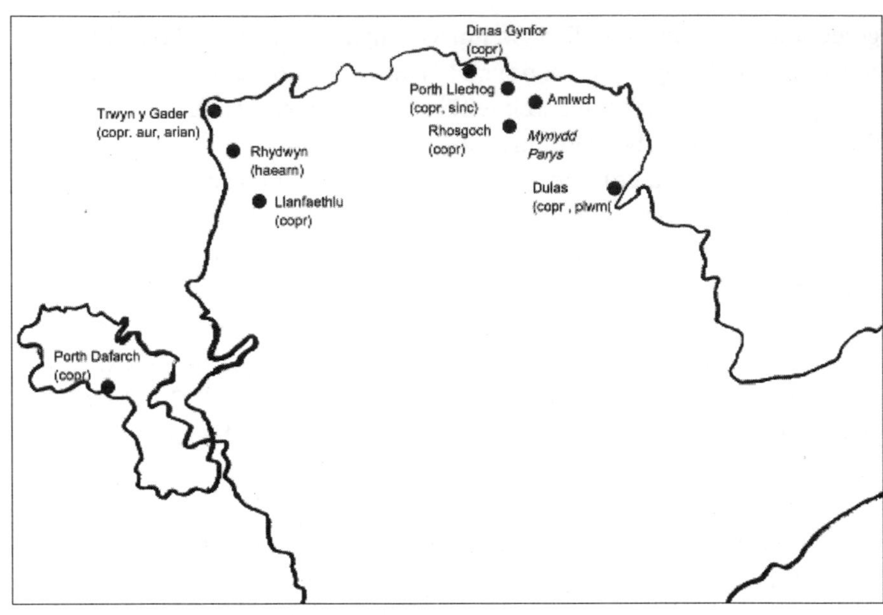

Safleoedd eraill lle bu cloddio am fwynau ym Môn

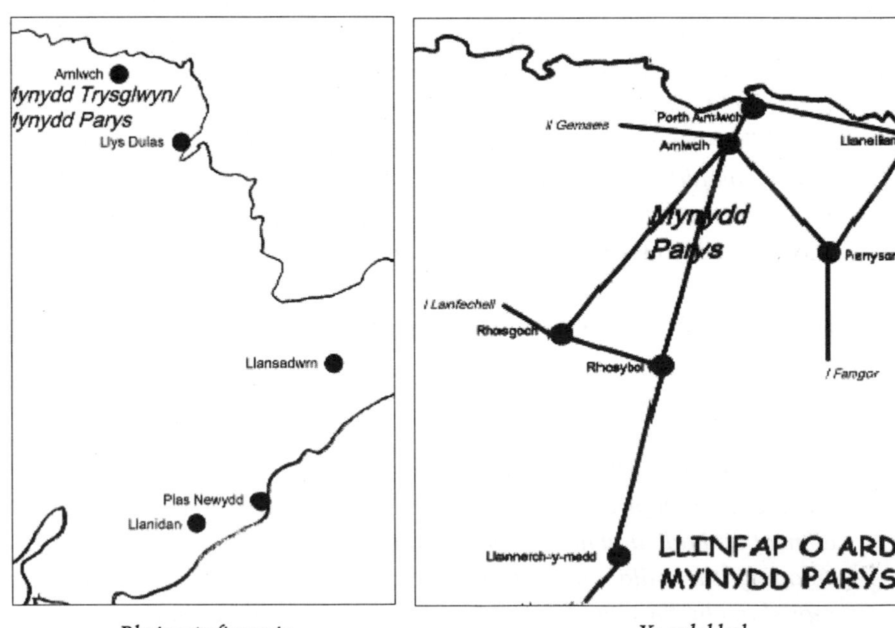

Rhai cartrefi pwysig

Yr ardal leol

we did not see one drinking party ... most of the miners are ***methodists****, and to the prevalance of this religious sect is chiefly to be attributed the good order that is conspicuous ...*

Pan ymwelodd y Parchedig J. Skinner ag Amlwch ym mis Rhagfyr 1802, disgrifiodd y dref fel '... *a long straggling place and may contain from four to five thousand inhabitants ... Besides two or three good houses a church has lately been erected by the copper company ...*'.

Darlun pur wahanol a gaed gan eraill. Er bod gwendidau amlwg i adroddiadau'r Llyfrau Gleision (1847) ar gyflwr addysg y wlad, y mae ynddynt ddisgrifiad eithaf cywir o ddalgylch y mynydd. Nododd S. Dew fod Amlwch, ar y pryd, yn fwy o dref nag unrhyw un arall ym Môn gyda phoblogaeth o 6217 a bod mwyafrif y boblogaeth yn gweithio un ai yng ngwaith copr Mynydd Parys neu yn y porthladd. Roedd nifer fawr o blant y dref heb dderbyn hyfforddiant o fath yn y byd, boed hynny yn ystod yr wythnos neu ar y Sul. Cafwyd tystiolaeth ychwanegol gan y gweinidog Methodistaidd, y Parchedig W. Roberts: '*I think there is not a place in the country where there are so many children uneducated ... Young children of about seven or eight are able to earn a little in the iron pits, and great numbers of them are employed to pick copper ...*'

Meddai Mr Samuel Greathead, rheolwr banc yn y dref: '... *There are few parishes in North Wales in which there is so much real destitution ...*' Ac o ran addysg, nid oedd pethau fawr gwell yn Rhos-y-bol ar ochr arall y mynydd.

Roedd enw da, os 'da' hefyd, y lle yn wybyddus i sawl teithiwr ond un a gollodd gyfle i ymweld oedd George Borrow am iddo dderbyn cyngor gwas mewn gwesty yng Nghaergybi. Cynghorwyd Borrow gan y gwas i gymryd y trên i Fangor ac anghofio am ogledd-ddwyrain yr ynys. Pan brotestiodd Borrow y byddai'n colli gweld golygfeydd Amlwch a'r cyffiniau, ateb y gwas oedd na fyddai'n golled enfawr gan nad oedd Amlwch yn ddim amgenach nag '... *[a] poor poverty stricken place ...*'.

Yn y gyfrol *The Beauty of Old Wales* a gyhoeddwyd yn 1892, disgrifiwyd Amlwch gan Syr John Morris Jones fel lle '... *prosperous in the palmy days of the Paris Mines. Now it has something of that mournful appearance of decadence which overwhelms one in the West of Ireland*'.

Yn ei adroddiad am gyflwr iechydol y dref yn 1893, roedd Evan Evans fymryn bach parotach i roi gwybodaeth bendant: '*Amlwch,*' meddai, '*consists practically of one long thoroughfare which is crossed at right angles by another street at the centre of the place ...'*

Gosodwyd cystadleuaeth yn Eisteddfod Môn, Amlwch 1909 i ysgrifennu traethawd i ddenu ymwelwyr i'r ardal – '*A Guide to Amlwch and neighbourhood*' (sylwer ar y Saesneg!). Mary Hughes oedd yn fuddugol ond a fu'r traethawd yn llwyddiannus sy'n gwestiwn, gan iddi – yn ei disgrifiad o'r dref – ddweud, '*The town itself has seen better days commercially at the time when the Parys Copper Mines were in full swing of work. Now it is a sleepy little place ...*'. (Erbyn Eisteddfod 2009 roedd y 'Rheol Gymraeg' mewn grym, gyda llaw.)

Do, gwelodd Amlwch sawl llanw a thrai yn ystod ei 'Hoes Gopr' ac yn ddiweddarach mewn cyfnodau o ddirwasgiad, ond er gwaetha'r cyfan, yma y mae Amlwch a'r mynydd o hyd.

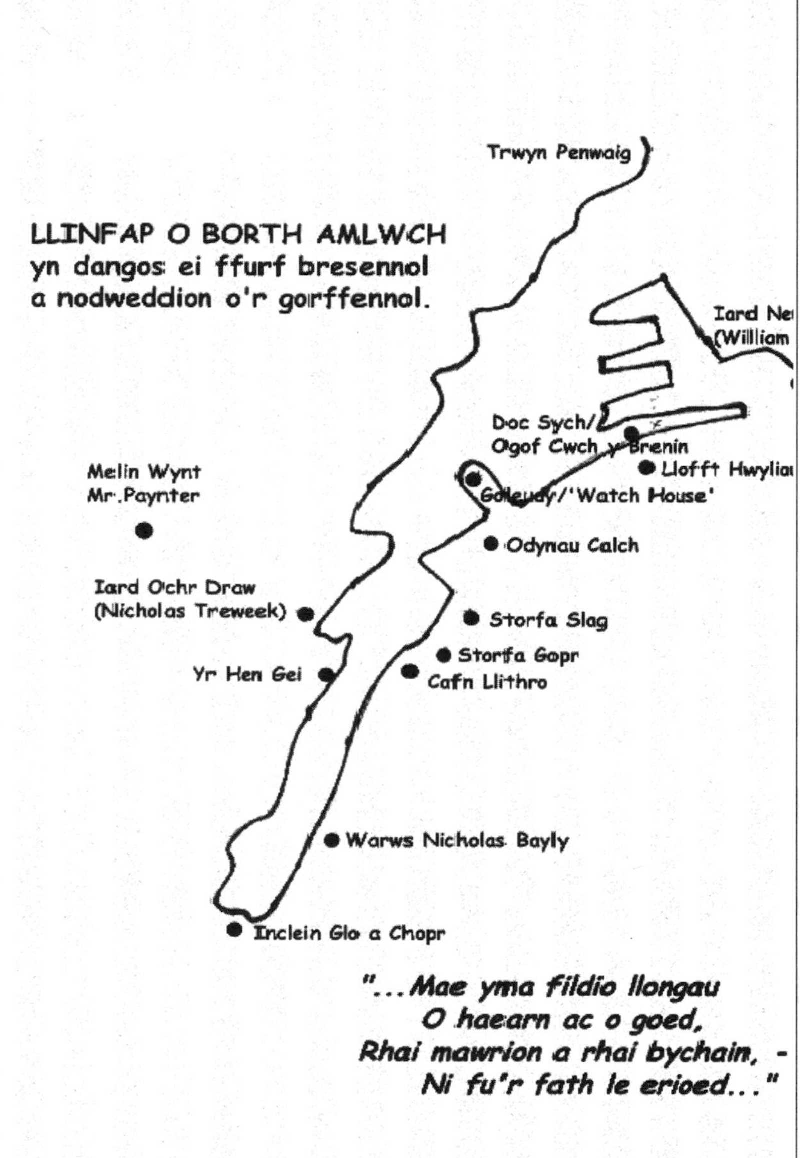

Porthladd Porth Amlwch

Enw Gwreiddiol y Mynydd

Ceir sawl awgrym am enw gwreiddiol Mynydd Parys. Yn eu mysg mae Mynydd Pres a Mynydd Parhaus ond yr enw gwreiddiol oedd Mynydd Trysglwyn. Fe ymddengys y gair cyfansawdd 'trysglwyn' – sef 'trwsgl' a 'llwyn' – yn enw dwy o'r ffermydd i'r de o'r mynydd. Ystyr yr elfen gyntaf yw bras, crachlyd, garw neu wahanglwyfus; ystyr yr ail elfen yw perth neu berthi o goed. Mae'n anodd credu heddiw fod yr ardal, ar un amser, yn llawn o lwyni coed a orchuddiwyd â chen neu dyfiant.

Fodd bynnag, fe newidiwyd enw'r mynydd ar ddechrau'r bymthegfed ganrif pan gyflwynwyd y tir i Robert Parys yr Ieuengaf, am iddo gael ei benodi'n gomisynwr neu gasglwr trethi a dirwyon oddi ar 2121 o gefnogwyr Owain Glyndŵr yn y gwrthryfel yn erbyn Harri'r Pedwerydd. Roedd cefnogaeth gref i Lyndŵr ar yr ynys oherwydd ei gysylltiadau teuluol, ymysg pethau eraill. Dau gefnder iddo, sef Gwilym a Rhys ap Tudur, a gipiodd Gastell Conwy a'i ddal am ddeufis, ac o'r ynys yr ymosodwyd ar Gaernarfon. Casglodd Parys £537 7s ym Môn, gan gynnwys £83 5s 8d (gwerth £38,304.50 yn 2010) gan y 279 + tri chlerigwr a gafodd ddirwy yng nghwmwd Twrcelyn.

Credir i Parys gael y swydd gan fod ei fam, Siwan neu Janet, a'i hail ŵr Gwilym ap Gruffudd o'r Penrhyn, Llandygái yn gefnogwyr brwd i Harri'r Pedwerydd.

Pan fu farw Robert aeth y tir yn eiddo i'w wraig ac ar ei marwolaeth hithau yn eiddo i William Gruffudd Fychan, sef ei mab o'i hail ŵr, a thrwy briodas fe ddaeth y mynydd, ymhen y rhawg, i ddwylo teulu Plasnewydd, Llanfairpwll.

Y Gorffennol Pell

Bu cloddio am gopr ar Fynydd Parys ers yr Oes Efydd. Darganfuwyd morthwylion cerrig a golosg derw o fewn pyllau cloddio yn y mynydd ac yn dilyn profion dyddio radio carbon gan yr Amgueddfa Brydeinig, cadarnhawyd eu bod yn dyddio o gyfnod 3500 a 3600 o flynyddoedd cyn geni Crist, h.y. yr Oes Efydd gynnar. Roedd y morthwylion o graig risial nas gwelir yn naturiol ar y mynydd ond ceir digonedd ohonynt ar draethau cyfagos. Yn 1936 gwnaed ymchwil gan Brifysgol Queens, Belfast ar ddau ddwsin o forthwylion a siarcol derw a ddarganfuwyd yn agos i'r felin ar gopa'r mynydd. Credir bod y siarcol hwnnw wedi ei ddefnyddio i osod tân i wahanu'r mwyn o graig a oedd yn rhy galed i'r morthwylion cwarstid ei thorri, yn hytrach nag ar gyfer mwyndoddi. Ym Mynydd Parys roedd y mwyn copr yn cynnwys mwyn o gopr sylffad o'r enw *chalcopyrite*. Er iddo fod yn ddull aneffeithiol, pan losgir hwn ar dân agored, ffurfir peth metal o'r mwyn. Yn 1995 cafwyd caniatâd gan Ardalydd Môn i ymchwilio a chloddio mewn rhannau eraill o'r mynydd yn y gobaith o ganfod mwy o dystiolaeth am weithfeydd o'r cyfnod cyn-hanes, ond rhaid cydnabod fod unrhyw ddarganfyddiadau mawr yn bur annhebygol gan fod olion gwaith y ddeunawfed ganrif a'r bedwaredd ganrif ar bymtheg wedi goruchuddio tystiolaeth o'r gorffennol pell.

Roedd y Rhufeiniaid yn ymwybodol o werth copr. Oherwydd cysylltiadau mwy diweddar â diwydiant a gwaith alwminiwm ar yr ynys, diddorol i ni ym Môn yw deall i weithfeyddd copr Rio Tinto, Sbaen ddod i'w meddiant (y Rhufeiniaid). Ystyr Rio Tinto yw 'afon liwgar' neu 'afon goch' gan fod y dŵr o'r gweithfeydd yn lliwio'r afon. Dyma hefyd a ddigwyddodd i'r afon yng nghyffiniau Mynydd Parys a adnabyddir heddiw fel Afon Goch.

Gwyddai'r Rhufeiniaid fod mwyn i'w gael o Fynydd Parys. Credir i'r awdurdodau Rhufeinig anfon caethweision a oedd â phrofiad o weithio yng ngweithfeydd Rio Tinto i weithio yno. Darganfuwyd sawl darn o gopr ledled yr ynys mewn mannau megis Aberffraw, Tregele, Llanbedr-goch, Llandrygarn, Llanfaelog, Llanfaethlu, Llanfair Mathafarn Eithaf, Llanfair-yng-Nghornwy, Llangwyllog, Llechylched (Bryngwran) a Rhos-goch, a rhai gyda marc Rhufeinig arnynt. Darganfuwyd ingot o gopr yn Aberffraw yn 1640. Arno roedd llythrennau a awgrymai i'r copr gael ei gloddio a'i doddi gan Rufeinwyr a hynny, fwy na thebyg, ym Mynydd Parys cyn iddo gael ei gario

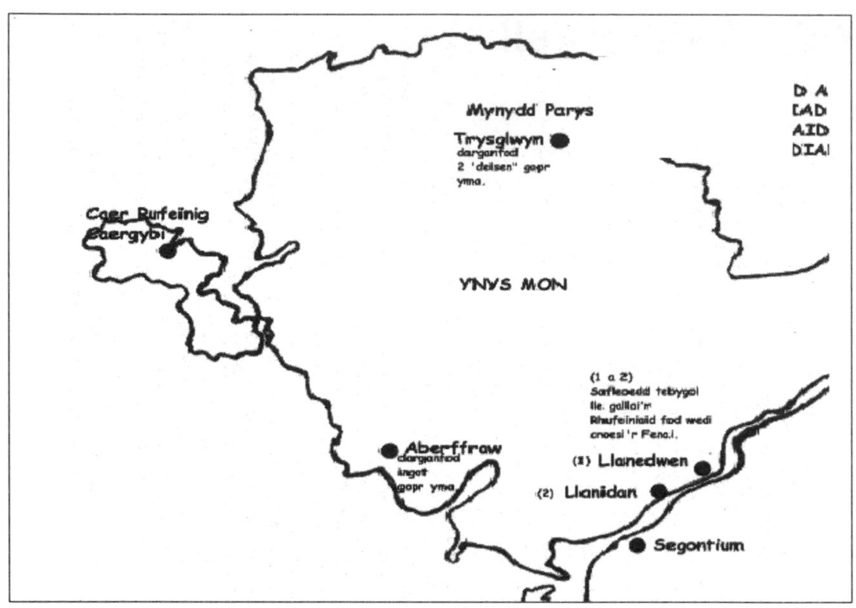

Safleoedd â chysylltiad â'r Rhufeiniaid a'r diwydiant copr

i'r Berffro i'w allforio i'r tir mawr. Cafwyd hefyd ddwy 'deisen' gopr ar dir fferm Trysglwyn a bwysai rhwng 25 a 30 pwys, wedi'u marcio IVFS. Credir mai diben y gaer Rufeinig a godwyd yng Nghaergybi oedd i amddiffyn safle Mynydd Parys.

Wedi i'r Rhufeiniaid adael Prydain, aeth y gwaith copr, fwy neu lai, yn angof. Erbyn cyfnod y Tuduriaid roedd eto alw mawr am gopr, yn arbennig felly mewn cyfnod o ryfel. Yr arfer oedd mewnforio cyflenwadau o Ewrop ond nid oedd Harri'r Wythfed na'i ferch Elisabeth y Gyntaf yn hapus â threfniant o'r fath; roedd y pris yn uchel a phe caed cyflenwad digonol gartref, byddai hynny'n llai o bwysau ar bwrs y wlad. Ni fu gweithio yn y mynydd am flynyddoedd lawer, er i Mr Medley fod yno yn 1579 yn arbrofi. Un llygad-dyst i'w waith oedd Syr John Wynn o Wydir a gofnododd hanes y digwyddiadau yn y gwaith mwyn mawr ym Môn mewn llythyr at Arglwydd Eure:

> ... I sende you the myneral water of Anglesey to be tried ... I saw Medley made the tryal, before Sir Henry Sydney, and I laid down the particulars.

First – a quantitie of iron was beaten small into powder, which was put into the water in a great boileer of lead, whereof there were either half a dozen or more. Anie of these boilers, having flat bottoms, and not verie deep, not unlike the form of a cooller, did contain manie barrels of licker, beinge that water which beinge boiled with an exceedinge hot fire of turf to a great height, and afterwards suffered to coolle, there was congealed in that water a threefolde substance; – the one copperas, beinge greene, highest; the seconde alome beinge white, in the middle; and the thirde, called earth of iron, beinge yellowe, in the bottome. The alome and copperas seemed both to be perfectlie good. The earth of iron, after it was fullie dried, grewe to a substance like the ruste of iron which had long beene canckered yet yellow. Of this earth of iron I have a greate quantitie laide upon charcole in a bricke furnace, and blowne downe and smelted like lead; and downe came a greate quantitie of iron synders intermingled here and there with copper. The ***1/10*** parte of that which came downe proved to be copper; whereof parte of which was sent to the Lo. of the Counsell that were partners in the worke, parte to others of the nobilitie; and everie gentleman of qualitie there presente had parte to carrie in his pockette, who were of opinion that the worke would not quitte coste; and so it proved, for that in a while it was given over.

Wishinge your Lo. good successe in all your attempts, and especiallie in these your alcymycall conclusions, I do rest,

Yours, &c.

John Wyn.

Gwnaeth yr arbrofion hyn argraff ddofn ar Syr John gan iddo anfon llythyr arall at Arglwydd Eure yn ei atgoffa o'r digwyddiad:

I remember some eighte and twentie years ago that there was a great Mynerall worke in Anglesey, some twentie or thirtie myles beyonde me. That one Mr. Medley had undertaken by boylinge of a water, which wroughte these effects. It made alome and copperas, and transmuted iron into copper; all which the selfe same water did perfforme, wherepof the manner and particularities I have forgotten ...

wnaeth ffortiwn yn y gwaith. Er hynny, roedd y bwystfil yn y mynydd ar fin deffro. Bu Henry Rowlands yn daer am i rai o wŷr amlwg yr ynys fentro gyda'i gilydd, gan y credai fod gwerth ffortiwn ar gael yn y mynydd '... *if dexterously sought for* ...'. Ni weithredwyd ar ei awgrym ac ni wireddwyd ei freuddwyd.

Perchenogion Newydd

Rhan o blwyf Amlwch yw Mynydd Parys, plwyf sy'n ymestyn ar hyd tua 9000 acer o dir. Yn y ddeunawfed ganrif roedd tua'i hanner yn eiddo i ddau deulu o fyddigion blaengar Môn – teulu Plasnewydd, Llanfairpwll a theulu Llys Dulas.

Roedd Syr Nicholas Bayly, Plasnewydd yn berchen ar tua 3000 acer o dir (Cerrig y Bleiddia), yn ogystal â 500 acer arall (Parys Farm) ar y cyd â William Lewis, Llys Dulas. Roedd Lewis yn berchen ar 800 acer arall yn ei enw ei hun. Nid oedd yr un o'r ddau yn llawn sylweddoli gwerth y tir nac yn ymwybodol o'r cyfoeth islaw'r wyneb ac felly nid oedd ffin bendant rhwng y ddau ddaliad. Yn 1753, prydlesodd Bayly gyfran Lewis o Parys Farm am £25 y flwyddyn.

Bu farw Lewis ym mis Ebrill 1761 ac ar y noson cyn ei farwolaeth, lluniodd ewyllys yn dietifeddu ei nith, Mary Lewis ond yr oedd yn rhy wael i'w llofnodi. Daeth ei ystad yn eiddo i'w wraig Elizabeth a phan fu hi farw yn 1770, daeth Llys Dulas yn eiddo i Mary Lewis a'i gŵr, y Parchedig Edward Hughes, Lleiniog, Beaumaris. Ychydig a feddyliodd neb ar y pryd mor ffortunus oedd y ddau.

Y Galw am Gopr

Un o'r prif resymau dros ailafael yn y gwaith o chwilio am gopr ym Mynydd Parys oedd y ffaith i'r Morlys sylweddoli manteision rhoi gwain o gopr am waelod llong. Copr o Fynydd Parys a ddefnyddiwyd pan gytunodd y Llynges i ddiogelu gwaelodion eu llongau rhyfel yn y cyfnod 1778-1782. Prif ddiben hyn oedd arbed y coed rhag llyngyr a tharadr y môr – yr abwydyn *toredo* – a oedd yn gallu tyfu i drwch bys a hyd braich ac a dyllai i mewn i'r coedyn, yn arbennig mewn dŵr cymharol gynnes. Unwaith y byddai'r abwydyn yn ymgartrefu ym mhren llong ni fyddai fawr o obaith iddi wedyn, ond wrth ei diogelu â chopr byddai'r gwaith o grafu a glanhau'r gwymon a'r cregyn llongau oddi ar ei gwaelodion (a oedd yn arafu'r llong) yn haws, ac yn sicrhau ei hirhoedledd a'i chadw allan o'r doc sych.

Bu ond y dim i'r arfer gael ei ddileu yn 1782 am fod nifer o longau wedi'u colli. Collwyd y *Royal George* yn mhorthladd Portsmouth yn 1780 a 900 o fywydau yn ei sgil heb i neb fod wedi sylweddoli mai'r bolltiau haearn a ddefnyddid i sicrhau'r copr yn ei le oedd ar fai. Rhydai'r bolltiau gan fod y copr a'r haearn yn adweithio ac yn difetha'r coedyn oddi tanynt. Dyfeisiwyd bolltiau newydd o gopr a sicrhaodd Thomas Williams gytundeb i werthu hyd at 40,000 ohonynt yr wythnos yn 1784. Enillodd Williams gytundebau gan lywodraethau gwledydd eraill o Ewrop hefyd megis Ffrainc, Sbaen a'r Iseldiroedd. Gan fod ar bob llong angen tua 11 tunnell o gopr ar ei gwaelod, tunnell o hoelion ac 20 tunnell o folltiau i ddal y copr yn ei le, a bod angen ailwneud y gwaith bob pedair blynedd, roedd cytundebau o'r fath yn hynod fanteisiol a gwerthfawr iddo ef a'i gwmni.

Datblygodd busnes Williams i weini hyd at 105 llong y flwyddyn yn Lerpwl ac i fod yn berchen ar hyd at ddeugain llong a gariai gopr o Amlwch i Dreffynnon a Lerpwl. Daeth y broses yn un a ddefnyddid gan y llynges fasnach hefyd, yn arbennig felly ar gyfer llongau a hwyliai i Affrica ac India'r Gorllewin ac a oedd yn ymwneud â'r fasnach gaethweision.

I ddangos gwedd arall ar ei gymeriad, roedd Thomas Williams yntau yn ymwneud â'r farchnad gaethweision ac wedi buddsoddi arian mawr ynddi. Sefydlodd weithfeydd copr a phres yn Nhreffynnon, y Fflint er mwyn cynhyrchu manion eitemau ar gyfer y fasnach gaethweision o Affrica. Cyflwynodd ddeiseb i'r Senedd ym mis Gorffennaf 1788:

A petition by Thomas Williams Esquire, on behalf of himself and his co partners in the manufacture of Brass Battery, and other Copper, Brass and Mixed Goods, for the African Trade at Holywell in the county of Flint, Penclawdd in the county of Glamorgan, and Temple Mill in the county of Berks ... setting forth, that the Petitioner and his Co-partners have laid out a capital of £70,000 and upwards to establish themselves in the aforesaid manufactories, which are entirely for the African market ... and that the Petitioner has lately been informed that a Bill is now depending in the House, for the purpose of regulating for a limited time, the shipping and carrying of slaves in British vessels from the coast of Africa, which ... will greatly hurt, if not entirely ruin, the British trade to Africa in the manufactories aforesaid, whereby the Petitioner and his partners would lose the greatest part of the aforesaid Capital.

Tybed faint o chwarae teg a ddangosodd ef ei hun tuag at y caethweision?

Dechrau Cloddio

Nid mater syml o gloddio i'r ddaear a byw mewn gobaith y bydd y morthwyl yn taro mwyn yw cloddio am gopr! Mewn llythyr o Lundain, dyddiedig '*August 2d, 1755*', meddai Lewis Morris wrth William, '*... mining is an art that a mere theorist will never learn ...*'. Roedd Lewis o'r farn fod cloddio yn grefft. Wrth gwrs, roedd ef ei hun yn brofiadol yn y maes gan iddo dreulio llawer o'i amser a'i arian yng ngweithfeydd plwm Ceredigion. Meddai mewn llythyr arall at William, ddiwedd mis Awst 1755, '*I have compiled here a great part of a book on mines with a vast number of drafts of mines etc. It surprises the virtuosi here to see so much art in mining ...*'. Boed yn y byd pa ran y byddai Lewis a'i frodyr wedi ei chwarae yn y diwydiant copr ym Môn pe baent oll wedi byw ar yr ynys ar yr un pryd. Er ei allu mewn sawl maes, fel 'mwynwr diniwaid' yr ystyriai Lewis ei hun.

Rhaid oedd cael arbenigwyr at y gwaith ac roedd y rheiny, ar y pryd, yn brin yn Amlwch. Felly fe gyflogwyd Alexander Frazer gan Syr Nicolas Bayly i gloddio tir Cerrig y Bleiddia ond er iddo ddarganfod mwyn copr yno, ni fu'r fenter yn llwyddiant gan fod dŵr yn llifo drwy'r gwaith ac yn achosi llifogydd. Gan nad oedd elw yn dod i'w law, prydlesodd Bayly y tir i gwmni Roe o Macclesfield yn 1764 am gyfnod o un mlynedd ar hugain. O fis Hydref 1764 ymlaen, derbyniai Bayly wythfed ran o werth cynnyrch y tir ond oherwydd problemau parhaol efo dŵr a llifogydd, araf iawn oedd y cynnydd a wnaed. Er hynny, bu chwilio dyfal, yn arbennig felly gan Jonathan Roose o swydd Derby a aeth i'r mynydd gyda deg tîm o dri neu bedwar dyn i dyllu siafftau a chwilio am fwyn. Tyllwyd yn ardal y Fentar Aur/Golden Venture ac ar 2 Mawrth 1768 (dydd gŵyl Sant Chad) cafwyd llwyddiant ysgubol pan ddarganfuwyd gwythïen gyfoethog. Dywedir mai Rowland Puw a wnaeth y darganfyddiad gwreiddiol. Ei wobr oedd potelaid o frandi a bwthyn di-rent am weddill ei oes. Bu farw yn 1786 a chafodd ei wraig y fraint o aros yno yn ddi-rent hyd nes iddi hithau groesi i'r 'ochr draw' yn 1796. Er mai Rowland Puw a gafodd y clod, nid oedd pawb yn dawel eu meddwl am safle'r darganfyddiad na'r darganfyddwr. Roedd Owen Griffith yn amheus o'r ffeithiau hyn ac os oedd unrhyw un yn gwybod hanes y mynydd, Owen Griffith oedd hwnnw gan iddo weithio yno cyn iddo fod yn naw oed am '... y swm anrhydeddus o rôt y dydd am ddeuddeng awr'. Un arall ag amheuon oedd yr 'hen bastynfardd' Glan Alaw. Ar gyfer cystadleuaeth yng Nghapel Bozrah tua 1877, canodd y '... Fawlgerdd oreu i Alexander Fraser, darganfyddwr mwn efydd Mynydd Parys' ac ynddi mynegodd:

Hen lol 'di rhoi'r clod i Roland Puw,
Choeliwn i mo hynny yn fy myw ...

Rhaid cadw mewn cof mai John Fraser o Gaernarfon, un o ddisgynyddion Alexander Fraser, oedd yn cynnig y ddwy gini o wobr!

Cadwyd yr 2il o Fawrth fel dydd gŵyl Amlwch am rai blynyddoedd wedyn. Gwobr Jonathan Roose oedd cael ei anfarwoli mewn darn o farddoniaeth ar ei garreg fedd ym mynwent Eglwys Sant Eleth, Amlwch:

Among this throng of congregated dead
Of kindred men whose spirits hence are fled,
Here lieth one whose mind had long to bare
A toilsome task of industry and care.
He first yon mountain's wondrous riches found,
First drew its minerals blushing from the ground,
He heard the miners' first exulting shout
Then toil'd near 50 years to guide its treasures out.

Roedd darganfyddiad o'r fath yn cadarnhau amheuon pawb fod cyfoeth yn y mynydd. Llwyr gredai ambell un fod cyfoeth yno ond cael ato oedd y gamp. Un mawr ei ffydd oedd Syr Nicolas Bayly gan iddo anfon ei asiant, William Elliott, at gwmni Roe ym Macclesfield ar 15 Chwefror 1768 i drafod eu gwneud yn bartneriaid yn y fenter ond ni chafwyd cytundeb. Datblygodd drwgdeimlad rhwng Bayly a *Roe & Co.*

Datblygodd mwy o ddrwgdeimlad rhwng y Parchedig Edward Hughes, Llys Dulas a Bayly ynglŷn â'r gweithio ar y mynydd. Gan nad oedd y ffin yn bendant rhwng daliadau tir y ddau yng Ngherrig y Bleiddia a Parys Farm, roedd Bayly yn pryderu fod yr wythïen a ddarganfuwyd gan *Roe & Co.* ar dir Cerrig y Bleiddia yn parhau yn danddaearol i Parys Farm. Dechreuodd Bayly weithio ym Mharys Farm yn 1770 heb drafod â Hughes. Aeth Hughes â Bayly i'r llys yn 1772 ac fe'i gwaharddwyd rhag gweithio ar Parys Farm am ddwy flynedd. Cyfreithiwr Hughes oedd gŵr o'r enw Thomas Williams. Yn 1774

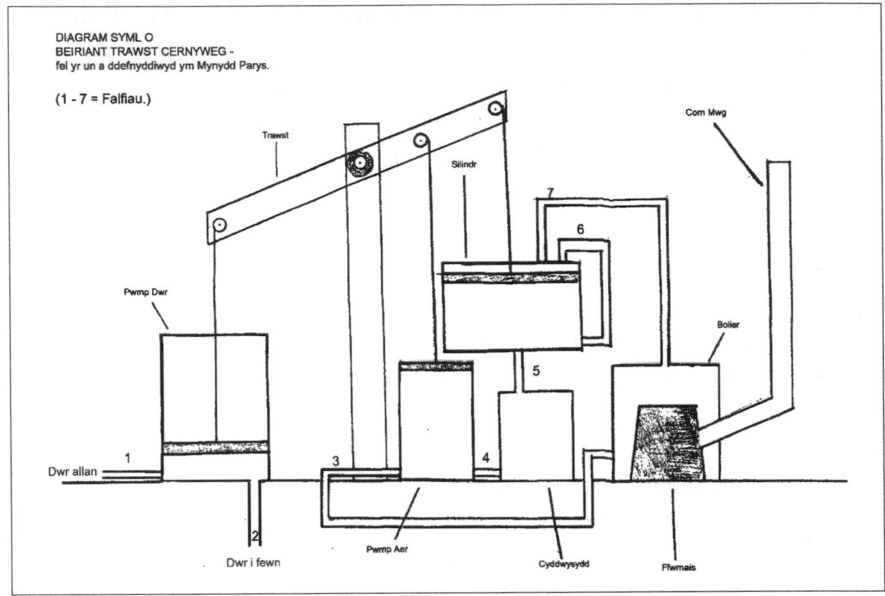

Peiriant trawst Cernywaidd

penderfynodd y llys ddiddymu'r gwaharddiad a chafodd Bayly ailddechrau gweithio ar y safle ond aethpwyd ag ef i'r llys eto ac fe'i cyfyngwyd rhag defnyddio dim mwy na hanner cant o weithwyr/mwynwyr, dau asiant ac un '*assay master*' ac nid oedd i dyllu dim mwy ar y tir. Roedd y ddau ohonynt (Hughes a Williams) i gytuno ar y ddau asiant ac ar ddewis un derbynnydd i rannu unrhyw elw rhwng Bayly a Hughes. Yn 1774 manteisiodd Hughes hefyd ar gyfle i ddechrau cloddio ar dir Parys Farm efo Thomas Williams. Bu hyn yn ddechrau cyfnod eithriadol o lwyddiannus yn hanes y mynydd a'r sawl a'i gweithiai. Ffurfiwyd y *Parys Mine Company* yn 1778 efo Hughes yn berchen ei hanner, Williams yn berchen traean a John Dawes, bancer o Lundain, a oedd yn medru ariannu'r fenter, yn berchen ar y chweched ran. Dawes oedd rheolwr busnes a chynghorydd cyfreithiol y cwmni. Un o'r camau gorau a gymerodd ar ran y cwmni a thref Amlwch oedd cyflogi Jonathan Roose oherwydd ei arbenigedd technegol. Yn 1778 llwyddodd Dawes i sicrhau prydles o 21 mlynedd ar gyfran Bayly o Parys Farm. Ymhen y mis, newidiwyd y cytundeb a rhoi £4000 y flwyddyn o rent i Bayly. Ei ddewis ef oedd hynny ond bu'n gam gwag iawn mewn gwirionedd; gwelwyd cynnydd sylweddol yng nghynnyrch ac yn elw'r mynydd wedi hynny.

Yn 1779 darganfu Antoine Grimoald Monnet (Archwilydd Cyffredinol Mwyngloddiau Ffrainc) *vitriol de plomb* (sylffad plwm) ar y mynydd. Cynigiodd Francois Sulpice Beudant yn 1832 y dylid ei ailenwi'n *anglesite* i nodi'r fan y'i darganfuwyd.

Pan ddaeth les *Roe & Co.* i ben yn 1785, ffurfiodd Henry Paget, disgynnydd Nicholas Bayly, ei gwmni ei hun, y *Mona Mine Company*, i weithio tir Cerrig y Bleiddia a phwy oedd ei brif bartner a'i asiant? Neb llai na Thomas Williams. Roedd Paget yn berchen ar dri chwarter y cwmni a Williams yn berchen ar y chwarter arall. Pan sefydlwyd y cytundeb rhyngddynt ar 10 Hydref 1785, tawelodd y dyfroedd rhwng dau a fu benben â'i gilydd a daeth Williams i reoli'r diwydiant copr ym Môn yn llwyr. Ar yr un pryd, roedd y cwmni *Cornish Metal Company* yn chwalu a daeth Thomas Williams yn gyfrifol am farchnad gopr Cernyw a Môn, a Phrydain yn gyfan gwbl mewn gwirionedd.

Dulliau cymharol gyntefig a ddefnyddid ym mlynyddoedd cynnar y gwaith i gael gwared â'r gormodedd o frwmstan a oedd yn y mwyn a gloddiwyd ar Fynydd Parys. Câi'r cerrig eu crasu yn yr awyr agored gan greu arogl, llwch a mwg afiach y bu rhai fel Thomas Pennant a Dafydd Ddu Eryri ac eraill mor feirniadol ohonynt: '*Suffocating fumes of burning heaps of copper arise in all parts, and extend their baneful influence for miles around*,' meddai Pennant ac fe lwyddodd Dafydd yntau i gyfleu ei deimladau am 'uffernolrwydd' y lle yn ddiflewyn-ar-dafod:

> Och, lwch pob parth, tarth bob tu
> Ow! digon i'm dwbl dagu.

Mewn englyn arall o'r un gadwyn, dywed:

> Crinlle, crynllyd cryglyd cas – ail ydyw
> I lidiog ffwrn atgas.
> Beth ond tân a brwmstan bras
> Sy' heddiw'n rhostio Suddas.

Mae effeithiau'r llosgi hwn i'w weld hyd heddiw ym moelni'r ardal.

Wedi i'r domen gael ei thanio roedd digon o danwydd naturiol i gynnal y tân ond y gamp – unwaith yr oedd wedi gafael – oedd dal i'w losgi a sicrhau llosgi'n iawn am wythnosau. Pa ryfedd fod Dafydd Ddu Eryri mor gwynfanllyd! Wedi i fwg drwg y tanio cynnar glirio, byddai'r mygdarth sylffwr yn cael ei gyfeirio i sied a'i grynhoi yno, lle y'i casglwyd o bryd i'w gilydd. Gwerthid y brwmstan hwn a defnyddio'r elw i gynnal y gwaith o gasglu'r copr o fwynau cymharol amhûr y mynydd.

Wedi gwagio'r mwyn gorau o'r ffwrnais er mwyn eu gwerthu, byddai'r gweddill yn cael eu cyrchu i byllau dŵr ar y mynydd a'u gorchuddio â dŵr. Ymhen pedair awr ar hugain gollyngid y dŵr o'r pyllau i danciau ar lefel is. Gadewid talpiau o gopr ar waelod y pyllau cyn i griw o'r Copar Ladis eu casglu a'u malu'n ddarnau llai er mwyn eu toddi.

Teflid darnau o haearn i'r dŵr a oedd wedi ei ollwng i'r tanciau. Byddai'r dŵr hwn yn cael ei gynhyrfu bob hyn a hyn fel bod yr hylif yn adweithio â'r haearn. Gollyngid y copr o'r hylif i setlo yng ngwaelod y tanc fel copr pur. Byddai'r broses yn cael ei hailadrodd sawl gwaith er mwyn tynnu'r copr o'r dŵr. Defnyddid y 'crystyn coch' a oedd yn weddill ar ddiwedd y broses i wneud paent. Yn yr hyn a elwid yn 'byllau paent' gan genedlaethau lawer o blant yr ardal fe ddigwyddai proses gemegol gymharol syml ac un a fyddai wedi gallu bod yn sail i waith gwersi cemeg yn yr ysgol gyfagos, ond er imi dreulio wyth mlynedd ynddi, nid oes gen i'r un atgof o wersi gwyddoniaeth na hanes yn crybwyll dim am y mynydd. Diolch am y gwersi ymarfer corff y soniwyd amdanynt eisoes!

Caed copr eithriadol o bur ar ddiwedd y gwaith uchod. Fe'i cesglid drwy ei dorri i faint bricsen a'i werthu i gwmnïau megis un John Wilkinson, un o feistri haearn canolbarth Lloegr, neu *Iron Mad Wilkinson* i'w gyfeillion! Defnyddid copr Mynydd Parys yn y ffowndri gwneud arfau am nad oedd angen ei buro ymhellach.

Barn Lentin oedd fod y broses a ddefnyddiai Thomas Williams yn un effeithiol tu hwnt ac y dylid ystyried ei defnyddio yn yr Almaen. Pwy fyddai wedi meddwl y gallai cyfreithiwr o gefn gwlad Ynys Môn fod wedi dylanwadu cymaint ar brosesau diwydiannol Ewrop?

Agorwyd stordai yn Llundain, Birmingham a Lerpwl a chodwyd todd-dai yn ne Cymru ac yn swydd Gaerhirfryn er mwyn manteisio ar gynnyrch y gweithfeydd glo gerllaw i allu toddi/smeltio'r mwyn o Fynydd Parys. Gwariwyd £1,025 ar ddatblygu'r harbwr ym Mhorth Amlwch a £575 ar ddatblygu'r ffordd o'r mynydd i'r Borth. Sefydlwyd gweithfeydd yn sir y Fflint, Morgannwg a swydd Berkshire yn Lloegr i gynhyrchu nwyddau a wnaed o gopr a phres ar gyfer y farchnad gaethweision. Talodd hyn ar ei ganfed a gwelwyd elw'r cwmni yn cynyddu o £5,337 yn 1787 i £16,905 yn 1793. Er hynny, roedd costau uchel i'w talu o hyd a lluniwyd deddf seneddol: '*An Act to amend an Act ... An Act for allowing a Drawback of the Duties upon Coals used in Smelting Copper and Lead Ore, and in Fire Engines for draining Water out of the Copper, and Lead Mines, within the Isle of Anglesey.*'

Yn yr un flwyddyn, cafwyd deddf seneddol arall '*for the enlarging, deepening, cleansing, improving, and regulating the harbour at Amlwch in the Isle of Anglesey*' i ymestyn y porthladd i allu derbyn hyd at ddeg ar hugain o longau yn amrywio o 60 i 100 tunnell ar y tro.

Brasgamodd Williams ymlaen a gwireddu ei freuddwydion gogyfer â'r gwaith. Codwyd todd-dai yn Amlwch; mewnforiwyd glo o dde Cymru a swydd Gaerhirfryn; sefydlwyd cwmni i reoli'r gwaith gyda Michael Hughes, brawd Edward Hughes, Llys Dulas yn rheolwr arno. Roedd Thomas Williams yn credu'n gryf mewn troi'r dŵr i'w felin ei hun ac i felin ei gyfeillion agosaf. Gwyddai y byddai penodiad o'r fath yn un manteisiol iawn i bawb arall a oedd yn ymwneud â'r gwaith. Sefydlwyd rhagor o dodd-dai yn St. Helens a Phen Clawdd, Abertawe ac fe ddatblygodd Thomas Williams yn ddyn busnes rhagorol – yn un na welwyd ei fath ym Môn fyth wedyn.

Er nad oedd yn orboblogaidd ymysg ei gystadleuwyr ym myd busnes, roedd ei galon yn y lle iawn. Rhoddodd gymorth i godi eglwys y plwyf newydd yn Amlwch – cam a'i gwnaeth yn agos at galonnau gweithwyr y mynydd. James Wyatt a gafodd y gwaith o gynllunio tŵr yr eglwys newydd am ei fod yn un o benseiri amlycaf ei ddydd ac yn ail agos i Robert Adam fel pensaer clasurol. Wyatt hefyd a gynlluniodd nifer o addasiadau Plasnewydd.

Gwnaed elw o'r gwaith gwaddod hefyd. Roedd cymaint o gopr yn y dŵr a lifai o'r mynydd fel y gellid taflu allwedd haearn i'r pyllau cronni a byddai wedi ei gorchuddio â chopr o fewn tair eiliad. Gwerthid y dŵr am 1½d y chwart. Agorwyd y Pyllau Heyrn a'u llenwi â dŵr o'r mynydd gyda'r bwriad o daflu haearn gwastraff iddynt. Ymhen amser, byddai'r pyllau'n cael eu gwagio a'r llaid llawn copr yn cael ei gasglu, ei sychu neu ei grasu i gael at y copr.

O fod yn bentref bychan di-nod, roedd Amlwch wedi tyfu i fod yn lle eithriadol o brysur. Roedd yn fwrlwm o weithgaredd a chwmnïau newydd yn ymddangos, fwy neu lai, dros nos. Ffurfiwyd cwmni yn 1778 i losgi'r mwyn a thynnu brwmstan ohono. Y ddau bartner yn y gwaith oedd John Champion,

Downend House, Bryste a William Roe o Lerpwl a oedd yn digwydd bod yn fab hynaf i Charles Roe o Macclesfield. Daethant i gytundeb â Bayly ac Edward Hughes a chael yr hawl i holl waith llosgi'r mynydd.

Tyfodd gwaith copr Mynydd Parys yn gymaint o ryfeddod nes bod teithwyr o bell ac agos yn tyrru i Amlwch i weld yr hyn a oedd yn digwydd yno. Ysgrifennodd sawl un ohonynt ddisgrifiadau llengar iawn a'u cyhoeddi. Bron na ellid dweud fod rhyw fath o gystadleuaeth rhyngddynt i weld pwy allai gyfleu orau arferion a golygfeydd y gwaith. Aeth rhai cyn belled â'i gymharu â Tartarus – ardal isaf y byd, yn ôl y Groegwyr, cyn belled o'r ddaear ag yw'r ddaear o'r nefoedd. Cymerai naw diwrnod a naw nos i engan efydd syrthio o'r ddaear i Tartarus ac fe'i disgrifiwyd gan Hesiod, bardd Groegaidd, fel pwll gwlyb, tywyll wedi ei amgylchynu â mur o efydd a thu draw i honno, dywyllwch dudew fel tywyllwch tair noson!

Yr ardal gyntaf i'w chloddio yn y mynydd oedd y rhan a elwir, hyd heddiw, yn Hen Waith (enw eithaf dadlennol). Gyda chaib a rhaw, cloddiwyd am y mwyn a oedd yn agos i'r wyneb a daliwyd ati nes i'r haen o graig ei dihysbyddu. Byddai cloddio fel hyn yn ffurfio cafn neu siafft fechan, fas ond yn gadael llawer o fwyn yn y ddaear heb ei gloddio. Roedd problem y dŵr a'r llifogydd yn ychwanegu at drafferthion yr wyth gant a mwy o weithwyr a oedd yn gorfod llafurio mewn lle cyfyng.

Efallai mai gan Bingley y cafwyd y disgrifiad mwyaf dramatig o ddull gweithio'r mwyn yn y mynydd:

> *Along the edges, and in general hung by ropes over the precipices, are stages with windlasses or whimsies, as they here term them, from which the men who work upon the sides, are lowered by cords. Here, suspended in mid air, they pick a small place for a footing, cut out the ore in vast masses, and tumble it with a thundering crash to the bottom. In these seemingly precarious situations, they make caverns in which they work for a certain time, till the rope is lowered to take them up again.*

Datblygiad o'r math yma o gloddio oedd cloddio siafft ddrifft. Gwnaed yr agoriad yn ddigon mawr i geffyl a throl allu mynd i mewn iddo. Cymharodd Thomas Pennant y broses hon â dulliau gweithio mewn chwareli cerrig. Cafwyd ganddo yntau hefyd ddisgrifiadau o ddulliau gweithio'r mynydd. Ar ôl ei gloddio a'i ddwyn i'r wyneb, byddai'r mwyn yn cael ei losgi; câi peth ei anfon i Ravenhead, Lerpwl neu Abertawe a châi peth ei losgi ar y mynydd: '*The more impure ore is broken to the size of about hen's eggs, but in order to clear from it the quantity of sulphur ... it must undergo the operation of burning ...*'

Aeth ymlaen i ddisgrifio'n fanwl yr hyn a ddigwyddai yn y gwaith ei hun:

> *... the sides of this vast hollow are mostly perpendicular, and access to the bottom is only to be had by small steps cut in the ore and the curious visitor must trust to then a rope, till he reaches some ladders, which will conduct him the rest of the descent. On the edges of the chasm are wooden platforms, which project far; on them are windlasses by which the workmen are lowered to transact their business on the face of the precipice. There suspended, they work in mid air, pick a small space for a footing, cut out the ore in vast masses, and tumble it to the bottom with great noise ... Much of the ore is blasted with gunpowder, eight tons of which ... is anually used for the purpose ...*

Roedd cymaint o frwmstan yn y mwyn nes bod raid ei losgi ohono – gwaith a gymerai rhwng pedwar a deng mis i'w gwblhau:

> *... Thus burnt, it is carried to proper places to be washed or dressed and made merchantable ... by this means the water is strongly or richly impregnated with copper, which is dissolved by the acid quality of the sulphur; and is collected with or precipitated again by iron in pits ...*

Pennant hefyd a ddisgrifiodd yr olygfa arallfydol a welodd o amgylch Mynydd Parys, golygfa a oedd yn ddigon i ddychryn unrhyw un a'i gwelsai am y tro cyntaf:

> *The whole aspect of this tract has, by the mineral operations, assumed a most savage appearance ... In the adjacent parts vegetation is nearly destroyed even the mosses and lichens of the rocks have perished ...*

Yn llyfr cyfrifon y *Mona Mine* 1809, ysgrifennwyd y disgrifiad canlynol:

The method in the Old Mine being to dig pits or shafts which are said to be 30 yards deep before they come to the bed or rock of Ore ... In the New Work they also use this method, but far the greater part of their ore, being nearer the surface is raised by taking it away at least a great part of it by which they have made a tremendous chasm ...

Heb y disgrifiadau hyn, byddai ein gwybodaeth ni heddiw yn llawer tlotach a'n dealltwriaeth o'r hyn a ddigwyddai ym Mynydd Parys yn llawer llai.

Ail Wynt

Bu farw Thomas Williams yn 1802 a bu'r golled i Amlwch yn enfawr. Yn dilyn ei farwolaeth gwelwyd newid yn y gwaith bron yn syth ac ar i lawr yr aeth pethau wedyn. Trosglwyddwyd perchenogaeth ei gyfran o'r ddau gwmni – y *Mona Mine Co.* a'r *Parys Mine Co.* – i Owen a John, ei ddau fab. Roedd Owen a John yn rhannol gyfrifol am y *Mona Mine Co.* ar y cyd â Henry Paget (mab Nicholas Bayly), Iarll Uxbridge ac roedd yr iarll (¼ cyfran) ac Edward Hughes (½ cyfran) yn rhannol gyfrifol am y *Parys Mine Co.* Yn 1811 gwerthodd y ddau frawd eu cyfran yn y ddau gwmni i Iarll Uxbridge fel ei fod ef yn berchen ar yr oll o'r *Mona Mine Co.* a hanner y *Parys Mine Co.* gydag Edward Hughes. Penderfynodd Uxbridge osod y *Mona Mine Co.* i gwmni newydd o'r enw y *New Mona Mine Co.* a gwelwyd, unwaith eto, wynebau newydd yn rheoli'r gwaith. Y prif gyfranddalwyr oedd y Lefftenant Gyrnol Vivian; John Henry Vivian a Chapten Davey. Y cam doethaf a phwysicaf a wnaeth y cwmni newydd hwn oedd penodi gŵr profiadol o Gernyw o'r enw James Treweek i reoli'r gwaith. Daeth Treweek i Amlwch ym mis Hydref 1811. Cyn dod i Fôn, roedd wedi gweithio i gwmni Vivian yn Abertawe. Rhoddwyd pob agwedd o'r gwaith dan ei ofal a phrofodd ei hun yn fwy nag abl i ymgymryd â'r dyletswyddau. Gellid dweud ei fod yn ail agos i Thomas Williams.

Gyda dyfodiad James Treweek i'r gwaith, daeth nifer fawr o fwynwyr o Gernyw yno yn ei sgil. Dyma griw o ddynion a oedd wedi arfer â dull gwahanol o weithio a hwy fu'n gyfrifol am gloddio cynifer o'r siafftiau dwfn y gwelir eu holion yn britho'r mynydd. Un a ymwelodd ag Amlwch yng nghyfnod Treweek, yn 1819, oedd y gwyddonydd Michael Faraday ac i'w ddisgrifiadau ef roedd gwedd fwy ymarferol. Heddiw, o bosib, fe fyddai'n cael ei alw'n ddyn '*hands on*' – tynnodd ei ddillad i gyd, ar wahân i'w sanau a'i esgidiau, a benthycodd grys, trowsus a chôt fawr un o'r gweithwyr. Rhoddodd gap gwau am ei ben, cydiodd mewn cannwyll yn ei law ac aeth ar y daith i grombil y mynydd yng nghwmni Capten Lemin: '*... it became very narrow and we had in one corner to lay down on our backs and wriggle through rough slanting opening not more than 12 or 14 inches wide. The whole mountain being above us and threatning to crush us to pieces.*'

Fel pawb arall, roedd yn hynod falch o weld golau dydd pan ddaeth yn ei ôl i'r wyneb. I gloi llythyr hir at ei chwaer, meddai, '... *we gained the surface in high glee and came up into the world above at the engine after a residence of about two hours in the queer place below.*'

Roedd y Parchedig William Bingley yn un arall a gafodd agoriad llygad go iawn:

> *... the bottom of the pit is by no means regular, but exhibits large and deep burrows in various parts, where a richer vein has been followed in preference to the rest. Every corner of this vast excavation resounds with the noise of pickaxes and hammers; the edges are lined with workmen drawing up the ore from below; and at short intervals is heard, from different quarters, the loud explosion of the gunpowder by which the rock is blasted, reverberated in pealing echoes from every side.*

Bu misoedd cyntaf Treweek yn Amlwch yn rhai anodd iawn. Cafodd ei gamgyhuddo o ddangos ffafriaeth tuag at Saeson a meibion Cernyw. Yn wir, gwnaed cyhuddiadau cyson yn ei erbyn gydol ei yrfa ond dan ei ofal ef, daeth llewyrch yn ôl i'r gwaith ac i Amlwch yn gyffredinol. Erbyn 1826, Treweek oedd yn gyfrifol am y *Mona Mine Precipitation Pits*. Yn 1828 fe'i penodwyd yn brif asiant Plasnewydd ac yn arolygwr yr *Amlwch Smelting Works*. Cododd i fod yn rheolwr y *Precipitation Pits* yn 1833 ac o hynny allan hyd at 1851, ef oedd yn arolygu pob agwedd o ddatblygiad y gwaith.

Efallai bod Treweek yn ddyn o flaen ei amser; roedd yn sicr yn gweld ymhell. Gorchmynnodd gloddio siafftiau dyfnach yn y mynydd a threfnodd fod peirianwaith ar gael i bwmpio'r dŵr ohonynt. Defnyddiodd y dechnoleg ddiweddaraf – y peiriant stêm – i hwyluso'r gwaith. Gan fod llawer mwy o hanes i gloddio am fwynau megis tun a chopr yng Nghernyw nag ym Mynydd Parys, roedd hi'n ddigon naturiol i rai datblygiadau a dyfeisiadau gael eu gweld yno yn gyntaf. Un o'r dyfeisiadau pwysicaf, o bosib, oedd y peiriant stêm a ddyfeisiwyd yng Nghernyw i godi dŵr o byllau dwfn ac er nad oedd y pyllau cyn ddyfned ym Mynydd Parys, gwelwyd defnyddioldeb y fath beiriant gan fod y gwaith yno hefyd yn dioddef o broblemau efo dŵr a llifogydd. Y broblem fwyaf a amlygodd ei hun pan oedd y peiriant stêm yn gweithio oedd y ffaith fod cymaint o gopr yn y dŵr. Effeithiai'r dŵr ar fetal y peiriant nes ei fod yn rhydu mewn byr o dro gan wneud y peiriant yn aneffeithiol. (Ar un cyfnod, bu raid defnyddio pibellau pren!) Cafwyd ateb i'r broblem drwy ychwanegu calch at y dŵr a hefyd drwy ei ailgylchu a'i ailddefnyddio.

Am gyfnod o tua chwarter canrif, bu llewyrch ar y gwaith a'r elw'n cynyddu ond o 1826 ymlaen, aeth pethau o chwith. Erbyn 1830 roedd sefyllfa'r cwmni yn fregus a chafwyd bygythiad i gau'r *Parys Mine Co.* yn 1831. Yn 1839 roedd pethau'n fregus tu hwnt unwaith eto a'r gwaith ond megis cysgod o'r hyn a fu. Roedd y gwythiennau copr wedi'u dihysbyddu a nifer y gweithwyr wedi gostwng i ddim ond 300.

Rhygnwyd ymlaen tan 1851, pan fu Treweek farw, ac o hynny allan, nid oedd dim dyfodol i waith copr mawr Amlwch. Yn dilyn marwolaeth Treweek, daeth gweithfeydd copr byd-eang i'r brig, yn Ne America, Awstralia, Affrica ac Asia. Roedd eu cynnyrch yn llawer purach na chynnyrch Mynydd Parys. Disgwylid cael rhwng 8% a 10% o gopr o fwyn o Brydain ond roedd mwyn o Awstralia yn cynnwys 40% a mwyn o Chile, De America yn rhoi cymaint â 60%. Pa ryfedd felly fod y gwaith yn Amlwch wedi chwythu ei blwc.

Roedd Treweek nid yn unig wedi ymroi i lwyddiant y gwaith copr ond chwaraeodd ran bwysig ym mywyd cymdeithasol y dref hefyd. Roedd yn eglwyswr pybyr ac yn aelod o'r Festri Plwyf a roes iddo'r hawl i lofnodi Llyfrau Cofnodion y Festri yn absenoldeb y rheithor. Bu'n gyfrifol am drefnu lluniaeth i drigolion y dref mewn cyfnod o brinder a bu'n drysorydd cronfa i gynorthwyo'r sawl a ddioddefai o'r geri marwol. Ef ei hun a gyflwynodd gynlluniau ar gyfer codi ysgol genedlaethol yn Amlwch yn 1820. Cefnogodd gynlluniau i gael banc cynilo yn y dref; brwydrodd i wella safon y gwasanaeth llythyrau a phan fentrodd aelod o'r teulu brenhinol i Amlwch yn 1832, at Treweek y trowyd i wneud y trefniadau. Dysgodd Gymraeg er mwyn gallu dilyn gwasanaethau'r capel Wesleaidd ac er mwyn cynorthwyo Saeson y dref gweithiodd i sefydlu capel Wesleaidd Saesneg yno yn 1832. Eto i gyd, fe'i cyhuddwyd o fod yn rhy hael tuag at yr achos!

Rhwng pwysau gwaith a helbulon teuluol, dioddefodd ei iechyd a bu farw ar 6 Rhagfyr 1852 yn ddeuddeg a thrigain mlwydd oed.

Cymaint oedd ei bwysigrwydd i Amlwch, amheuai Thomas Byer – un a'i dilynodd yn swydd prif asiant Plasnewydd – a fyddai unrhyw un arall yn y gymdogaeth yn ddigon 'tebol i lenwi ei esgidiau. Dyna dipyn o ddweud am 'ddyn dwad' i'r dref.

Wedi marwolaeth Treweek, ni chafwyd fawr o lwyddiant yn y mynydd. Dioddefodd pawb. Gostyngodd safon y copr; gostyngodd y cynnyrch blynyddol. Aeth y gwaith yn brinnach a'r cyflogau'n is a gwaethygodd safonau byw. Do, aeth yr hwch drwy'r siop. Bu'n rhaid dibynnu ar garedigrwydd y byddigion. Byddai'r Marcwis yn rhannu glo i dlodion y dref bob Nadolig a Thomas Fanning Evans yn ychwanegu tipyn at y llwyth yn ogystal â rhodd o arian i'w rannu. Yn y *Caernarvon & Denbigh Herald* ar 17 Ionawr 1865, ymddangosodd yr adroddiad canlynol:

> *The Marquis of Anglesey, with his usual generosity, has distributed three waggon loads of coal among the poor of Amlwch through our respected townsman, Mr. Thomas Fanning Evans. Mr. Evans himself, however, as is his usual wont, has been exceedingly good to the poor this year. He supplemented the Marquis' gift of coal handsomely himself in addition to the £15 which he had previously given for distribution among the needy of Amlwch. These deeds of charity deserve to be publicly recognised and gratefully acknowledged.*

Ond ymhen chwe wythnos i'r Nadolig, roedd Fanning Evans mewn helbul pan gynhaliwyd cyfarfod cyffredinol anghyffredin o gwmni'r *Mona Mines* yn 95 Dashwood House, New Broadstreet, Llundain ar gais Mr Snell o gwmni *Snell, Son & Greenip*. Diben y cyfarfod oedd uno'r *Mona Mine Co.*, y *Parys Copper Corporation Ltd.* a chwmni'r *Morfa Du Mining Co. Ltd.* i ffurfio un cwmni mawr a fyddai, gobeithio, yn gwmni llwyddiannus. Roedd Mr Snell yn anghytuno'n llwyr â'r bwriad ac roedd yn huawdl ei farn mai ar Fanning Evans yr oedd y bai am aflwyddiant y cwmni a'i fod heb gwblhau ei ddyletswyddau'n iawn, ac mai ef a neb arall oedd yn gyfrifol am y ffaith nad oedd llog i'w dalu i'r 'Lord'. Bu raid i Fanning Evans achub ei gam drwy egluro nad oedd fawr o fri ar y farchnad gopr ers o leiaf bedair mlynedd. Penderfynwyd sefydlu cwmni newydd y *Mona & Parys United Mines Ltd.* a bwrw ymlaen yn y gobaith y byddai pethau'n gwella. Ond prin iawn fu arwyddion y gwelliant hwnnw ysywaeth.

Llewyrch y Llongau

Yn sgil y gwaith copr, cafwyd nifer o ddatblygiadau ym mhob maes yn Amlwch ac wrth ddiwallu gwahanol anghenion y boblogaeth, gwelwyd cynnydd yn y gwaith a oedd ar gael. Un datblygiad cyffrous oedd y diwydiant llongau a dyfodd ym Mhorth Amlwch. Ar y dechrau, ni fyddai un wedi gallu bodoli heb y llall a byddai llongau bychain yn teithio'n ôl a blaen o Amlwch i amrywiol borthladdoedd Prydain yn allforio mwyn, brwmstan, copr ac yn mewnforio glo a haearn sgrap.

Roedd yr hyn a ddigwyddodd ym Mhorth Amlwch yn rhyfeddol o ystyried geiriau rhai am y fro – rhai megis Lewis Morris a oedd o'r farn nad oedd yn werth y drafferth iddo lunio map o'r lle!

Yn ôl Thomas Pritchard, 'Yn y flwyddyn 1765, nid oedd yma ond cilfach fechan i gychod pysgotta lechu ar ystorm ...'.

I lygaid Thomas Pennant yn 1773, nid oedd y gilfach fechan yn ddim ond gagendor hir rhwng dwy graig a dim ond lle i longau un hwylbren. Lle '... llawn o eithin mân a glaswellt hyd at lan y dŵr, a'r geifr a'r defaid yn pori ar hyd y llethr ...' oedd y Borth yn 1750.

Ond daeth newidiadau lu a thrawsnewidiwyd y porthladd bychan i fod yn un prysur tu hwnt. Yn 1782 codwyd pier ar gyfer y *Parys Mine Co.* a chyda datblygiad y gwaith aethpwyd ar ofyn llywodraeth y dydd i ymestyn a gwella'r porthladd. Rhoddodd Deddf 1793 ganiatâd '*... for enlarging, deepening, cleansing, improving, and regulating the harbour at Amlwch ...*' am fod y cyfleusterau oedd eisoes yno yn llawer rhy fychan ar gyfer y fasnach newydd. Roedd cynifer o longau yn defnyddio adnoddau prin y Borth nes bod raid iddynt aros yng ngheg yr harbwr er mwyn i bob capten allu mynd a dod yn rhwydd. Roedd oedi o'r fath yn annerbyniol a'r gwastraff amser yn costio'n ddrud. Yn dilyn pasio'r ddeddf, gwnaed lle i ddeg ar hugain o longau hyd at 100 tunnell o bwysau yn ogystal â stordai. Roedd dynion megis Thomas Williams, Edward Hughes ac Arglwydd Uxbridge yn aelodau o'r Bwrdd Ymddiriedolwyr – rhai a oedd â'u bysedd yn ddwfn ym mriwas y gwaith copr. Codwyd stordai glo, haearn a mwyn copr ar ochr ddwyreiniol cei newydd gan adael yr ochr orllewinol yn rhydd i'w datblygu mewn modd arall.

Y datblygiad naturiol nesaf oedd adeiladu llongau ar ochr orllewiniol yr harbwr, neu'r 'Ochr Draw'. Y rhai cyntaf i fentro oedd Francis a Nicholas

Treweek, meibion James. Roedd sawl llong fechan eisoes wedi'u hadeiladu ym Mhorth Amlwch ond yn 1825 comisiynwyd Nicholas, gan ei dad, i adeiladu llong 68 tunnell, sef yr *Unity* ar ochr orllewinol yr harbwr. Er bod y gwaith copr yn ymddangos fel petai'n edwino, roedd y diwydiant llongau yn mynd o nerth i nerth.

Bu farw Francis yn 1832 a gadawodd Nicholas Amlwch am Lerpwl pan oedd yn ymwneud â bron i hanner cant o wahanol longau – tipyn o gamp i un a ddechreuodd ei yrfa fel dyn glo. Yn Lerpwl bu'n gweithio fel rheolwr llwythi copr o Amlwch. Dychwelodd i Amlwch yn 1854 gan ailgydio yn y busnes adeiladu llongau a oedd wedi ffynnu yn ei absenoldeb. Cododd Treweek iard longau newydd y tu allan i'r harbwr gan ychwanegu doc sych i hwyluso'r gwaith. Un o longau cyntaf yr Iard Newydd hon, a llong haearn gyntaf gogledd Cymru, oedd y *Mary Catherine* (160 tunnell). Fe'i lansiwyd yn 1859. Prynwyd hen iard Treweek – iard Ochr Draw – gan William Cox Paynter a ddaeth yn amlwg fel un o adeiladwyr llongau Amlwch a pherchennog iard drin llongau. Y llong gyntaf a adeiladwyd yno oedd y *Charles Edwin* i Capten Dyer, asiant yn y mynydd a g^wr a oedd yn gyfrifol am y *Mona Mine Co.* Roedd gan Paynter felin lifio coed ar gyfer yr iard longau a ddefnyddiai ddŵr afon Goch i droi'r peirianwaith. Defnyddiai ddŵr yr afon ar gyfer mwydo coed ynddo hefyd, er mwyn ymestyn oes y pren – a fyddai'n para'n llawer hirach na choedyn heb ei drin. Prynwyd yr Iard Newydd gan William Thomas yn 1872 ac ef a'i ddau fab fu'n gyfrifol am gyfnod o lewyrch pan adeiladwyd dros ddeugain llong yn y Borth, a'r rheiny'n rhai a ystyrid gan arbenigwyr megis Basil Greenhill ymysg y llongau gorau o'u bath a adeiladwyd yn unman. Manteisiodd William Thomas ar y fasnach gopr a'r fasnach gemegolion a daeth yn geffyl blaen y diwydiant, nid yn unig yn Amlwch ond ym Môn a thu hwnt.

Defnyddiodd y diwydiant copr ym Mhorth Amlwch gyfanswm o bron i 120 o longau – nifer sylweddol i le mor fychan ac anghysbell – ond yn anffodus, fel gyda phopeth arall, daeth datblygiad newydd a fu'n gyfrifol am edwino pellach yn ymwneud y gwaith copr â'r diwydiant llongau. Yn 1865 defnyddiwyd y trên am y tro cyntaf i gario mwyn o'r mynydd. Roedd costau cludo'r mwyn yn rhatach nag efo llong ac felly bu'r trên yn hoelen arall yn arch y gwaith copr, a'r llongau i raddau.

Trafferthion yn y Gwaith

Fel pob gwaith mawr arall, cafwyd problemau ym Mynydd Parys hefyd. Gwelwyd anghydfod fwy nag unwaith a'r prif resymau oedd:

Cyflogau Isel

Ar gyfartaledd, rhwng 6 a 10 swllt yr wythnos oedd cyflog y gwaith a hynny mewn cyfnod pan oedd mwynwyr Cernyw yn cael rhwng 3 a 5 swllt yn fwy. Roedd elw gweithfeydd copr Cernyw yn isel iawn tra oedd Mynydd Parys yn gwneud elw mawr – i'r perchenogion. Tua £18 i £20 oedd cyflog blynyddol y mwynwyr tra bod cyflog gwas fferm, ar yr un pryd, yn ddim ond £6 i £7 y flwyddyn.

Elw uchel

Tybir bod teuluoedd Plasnewydd a Llys Dulas wedi derbyn elw o tua £300,000 yr un yn y cyfnod rhwng 1770 a 1800. Dywedodd Owen Griffith fod y gwahaniaeth rhwng cyflogau'r gweithwyr ac elw'r meistri yn debyg i'r gwahaniaeth rhwng gwybedyn ac archangel.

Goruchwylwyr

Roedd y rhain, ar y cyfan, yn griw digon amhoblogaidd oherwydd y modd y byddent yn trafod a gosod bargenion.

Bargeinion

Gosodwyd y gwaith o glirio darnau o graig i'r *tributers*, sef grwpiau o 4 i 6 gweithiwr a fyddai'n cytuno i wneud y gwaith am bris gosodedig rhwng yr arweinydd a'r asiant. Byddai'r prisiau fesul tunnell yn cael eu gosod am dymor o chwarter blwyddyn a phe bai'r fargen yn un wael, rhaid oedd byw efo'r cytundeb a wnaed.

Bu sawl anghydfod yn y gwaith:

i) 1817 – y 'Terfysg Bwyd' yn Amlwch. Cynhaliwyd streic mewn ymgais am fwy o gyflog ond yn aflwyddiannus. Yn dilyn cynhaeaf gwael 1816, bu raid i renti Plasnewydd gael eu gostwng a bu trafod cyffredinol ynglŷn â phris uchel ŷd a grawn. Credid pe na byddai ŷd a grawn yn cael eu hallforio o Fôn, y byddai'r prisiau'n gostwng ac y byddai'r werin gyffredin mewn gwell amgylchiadau byw. Ym mis Chwefror 1817 roedd y llong *Wellington* (Capten John Hughes) ym Mhorth Amlwch yn llawn grawn yn barod i hwylio am Lerpwl. Aeth criw o ddynion ar ei bwrdd a dwyn y llyw (*rudder*). Credir iddo gael ei guddio ym mynwent Eglwys Llanwenllwyfo. Bu raid galw ar filwyr o Iwerddon i'r dref i dawelu pethau pan gododd terfysg am na wnaeth perchenogion gweithfeydd Mynydd Parys gynnig dim ond £300 tuag at gronfa a oedd angen o leiaf £2,000 i fwydo trigolion y dref. Cafodd chwe arweinydd eu harestio. Dychwelwyd y llyw i'r llong a charcharwyd rhai o'r arweinyddion; rhyddhawyd y lleill i ddychwelyd, fel arwyr, i Amlwch. Dathlwyd eu rhyddid mewn dathliadau rhwysgfawr. Does dim dwywaith fod llawer o weithwyr y mynydd ymysg y torfeydd a fu'n protestio a bu raid i James Treweek frwydro'n galed i gadw trefn arnynt. Parhau i gwyno am eu cyflog wnâi'r mwynwyr yn 1817 a chafwyd bygythiad eu bod am dalu ymweliad â Phlasnewydd, plasty perchennog y gwaith, i ddadlau eu hachos am fwy o arian.

ii) 1819 – cais am fwy o gyflog gan William Morgan a 17 smeltar. Gofynnwyd am 2/- y dydd. Wedi bygwth arestio'r criw, aeth pawb yn ôl i'r gwaith.

iii) 1820 – anghydfod ynglŷn â gweithio ar y Sul. Er garwed eu hedrychiad, roedd mwyafrif helaeth y gweithwyr yn ddigon agos eu lle ac roedd eu crefydd yn bwysig iddynt. Cynhaliwyd cyfarfodydd gweddi tanddaearol yn y gwaith ar ddechrau ac ar ddiwedd shifft. Dechreuai'r cynulliad cyntaf am chwech o'r gloch y bore a'r ail rhwng naw a deg o'r gloch y nos. Pe baent yn gweithio'r wyth awr o shifft nos, byddai'r gweithwyr yn cael dau gyfarfod. Gelwid pawb at ei gilydd i Efail y Mwynwyr ac er nad oedd yno na mainc, pulpud na sedd, dim ond offer arferol y gwaith, roedd yn yr efail un cwpwrdd i gadw'r hen Feibl Mawr. Roedd Owan Morus a Risiart Prisiat yn ddau arweinydd amlwg. Dro arall, byddai William Williams, Penrhyn ac Owan Jôs yn cymryd eu lle.

iv) 1825 – cais i wella amgylchiadau gwaith. Bu raid cyflogi hanner cant o ddynion i warchod y gwaith a'r rhai a oedd wedi penderfynu parhau i weithio.

v) 1846 – cais aflwyddiannus am fwy o gyflog. Gorfodwyd y gweithwyr yn ôl i'r gwaith wedi tridiau o fod yn segur:

The miners 'turned out' for wages on Monday and remained out until Wednesday when their demands not being complied with they resumed their work ... they conducted themselves in a peacable and orderly manner.

North Wales Chronicle, 26 Mai 1846

vi) 1860 – diwedd y system fargeinio a Thomas Tiddy yn cael ei orfodi i adael y gwaith. Roedd y cwmni mewn trafferthion ariannol ac yn methu cadw at eu haddewid i dalu'r hyn y cytunwyd arno i'r gweithwyr. Cynhaliwyd cyfarfodydd gweddi yma ac acw yn y gwaith gyda'r gweithwyr yn mynd yn fwy diamynedd a milwriaethus am na allent gael deupen llinyn ynghyd. Byddent yn crwydro cyrion y mynydd ac yn dychwelyd i'r gwaith i gynnal eu cyfarfodydd gweddi. Yn ystod yr helbul, roedd rheolwr y gwaith, Capten Tiddy, yn llechu yng nghwt yr injan. Er bod honno wedi gweithio'n berffaith ar hyd y blynyddoedd, un noson fe ffrwydrodd gan chwydu ei pherfeddion i'r awyr a chodi ofn ar y capten a gredai, mae'n siŵr, fod Dydd y Farn Fawr wedi cyrraedd!
Stori arall o'r un cyfnod, ac am yr un anghydfod efallai, yw fod rhai o berchenogion y gwaith wedi cael eu cau yn y swyddfa am nad oedd ganddynt ddigon o arian parod i dalu eu dyledion i'r gweithwyr. Ymhen hir a hwyr, fe'u rhyddhawyd ac wrth i un ohonynt ruthro o'r gwaith ar gefn ei geffyl, caewyd giât yr iard gan chwa o wynt cryf a'i ddal ef a'i geffyl yno rhwng dau fyd, fel petai! Bu raid iddo ddibynnu ar drugaredd y gweithwyr i'w ryddhau.

vii) 1863 – anghydfod am fod y gweithwyr Cymreig yn credu fod y gweithwyr o Gernyw yn cael ffafriaeth. Dangosai'r Capten George Trewren ffafriaeth tuag at y ddau frawd Thomas a William Buzza ac aeth y Cymry ar streic. Collodd Owen Roberts, arweinydd y gweithwyr, ei waith. Dim ond pan gafodd ei swydd yn ôl y dychwelodd gweddill y gweithwyr i'w gwaith. Er i'r brodyr Buzza deimlo iddynt gael cam, '... *the foul and shameful treatment we have received on different ocassions from the mob ...*', gadael y gwaith a wnaeth y ddau.

Ceiniog a Dima'

Heddiw, gwerth ceiniog a dima' o 1789 fyddai 47c a gwerth swllt yn £2.80. Nid aiff neb yn bell ar yr un o'r ddwy ond yn 1789 roedd cael swllt yn eich poced yn eich gwneud yn gyfoethog. Fodd bynnag, tua diwedd y ddeunawfed ganrif (oes aur gwaith copr Mynydd Parys) roedd prinder darnau arian cyfreithlon yn y wlad. Dedfrydwyd y gosb eithaf am ffugio darnau arian ond fe ganiateid cynhyrchu tocyn. Manteisodd Thomas Williams ar hyn a throi at gynhyrchu ceiniogau a dimeiau ar gyfer ei weithwyr i'w defnyddio yn lle darnau arian o'r Bathdy Brenhinol.

Ymddangosodd y 'Ceiniogau Mynydd Parys' cyntaf yn 1787 a'r rheiny wedi'u gwneud o gopr o'r mynydd ei hun. Ystyrir darnau pres Mynydd Parys ymysg goreuon y ddeunawfed ganrif. Hwy oedd y rhai cyntaf i'w bathu; roeddent o safon uchel, gyda'r ceiniogau'n pwyso owns ac yn cynnwys eu gwerth o gopr. Caniateid eu newid yn unrhyw un o siopau neu swyddfeydd y cwmni ac yn ôl y geiriad arnynt yn unrhyw le ym Môn, Lerpwl a Llundain.

Sefydlodd Williams ddau fathdy ar gyfer cynhyrchu'r darnau – un yn Nhreffynnon, y Fflint a'r llall ym Mirmingham. Gwnaed ceiniogau 1787 yn Nhreffynnon a rhai 1788 ym Mirmingham. Cynlluniwyd y darnau gan John Gregory Hancock yr Hynaf. Er i'w waith fod yn fanwl ac o safon uchel, bychanwyd Hancock gan y wasg. Yn 1792 ymddangosodd pennill dychanol amdano yn y *Gentleman's Magazine*:

The artist paused awhile in great suspence
To make a penny of some consequence,
And having Stukeley or old Dugdale read,
Stamp'd the pittance with a Druid's head;
To make his own resemblance next he tried,
And struck a cypher on the counterside.

Yn 1788 cynhyrchwyd y dimeiau cyntaf. Yn anffodus, roedd hi'n gymharol hawdd eu ffugio. Dim ond ceiniogau wedi'u cynhyrchu yn 1787-1791 a dimeiau o 1788-1791 sydd yn ddilys. Ar flaen y darnau mae darlun o dderwydd mewn plethdorch o ddail derw ac ar y cefn mae prif lythrennau enw'r cwmni ac addewid y gellid eu defnyddio i dalu am nwyddau. O'u hamgylch enwir Môn, Lerpwl a Llundain fel mannau ble gellid cyfnewid y tocyn am ddarnau arian go iawn.

Cynhyrchwyd dros dri chan tunnell o'r tocynnau – 250 tunnell neu 8,960,000 o geiniogau a 50 tunnell neu 3,584,000 o ddimeiau. Cawsant eu defnyddio'n gyfreithlon hyd at 1818.

'I'r pant y rhed y dŵr,' medd yr hen air ac roedd hynny'n sicr yn wir yn hanes Thomas Williams. Roedd yn ddigon cefnog nid yn unig i allu cynhyrchu darnau arian ar gyfer ei gwmni ei hun ond, hefyd, sefydlodd fanc y *Chester and North Wales Bank* yn 1792 yng Nghaer, Caernarfon a Bangor. Sefydlwyd partneriaeth rhwng Thomas Williams a'r Parchedig Edward Hughes. Ymunodd H. R. Hughes, mab y parchedig, â'r banc hefyd. Yn 1797 bu cryn redeg ar y banc ond er mwyn osgoi trafferthion ariannol, caewyd ei ddrysau ac ni chawsant eu hailagor hyd nes i'r sefyllfa wella. Wedi marw'r sefydlwyr, bu gwahanol aelodau o'r ddau deulu ac ambell bartner newydd yn gyfrifol am reoli'r busnes hyd nes i gwmni'r Ceffyl Du – *Lloyds* gymryd yr awenau.

Materion Meddygol

Fel mewn unrhyw ddiwydiant neu waith mawr, roedd y peryglon a wynebai gweithwyr Mynydd Parys yn amrywio o ddamweiniau bychain i rai difrifol ac angheuol. Roedd colli golwg o ganlyniad i ffrwydrad powdr gwn yn weddol gyffredin, felly hefyd dorri esgyrn a hynny'n achosi problemau megis crydcymalau yn ddiweddarach. Anaf arall oedd torri'r llengig. Anfonwyd sawl un o'r gweithwyr hynaf i weithio yn y 'pyllau paent' oherwydd credid fod y gwaith yn y fan honno yn ysgafnach nag yn y gwaith copr.

Heddiw, ceir rheolau iechyd a diogelwch sy'n diogelu pob gweithiwr ond yn y mynydd, yn y cyfnod cyn bod sôn am reolau o'r fath a phan oedd gwasanaeth meddyg lleol yn brin, rhaid canmol Ardalydd Môn am ei ymdrechion glew i ofalu am y gweithwyr. Yn niwedd y ddeunawfed ganrif, roedd cwmni gwaith Mynydd Parys yn cyflogi meddyg i drin anafiadau ac afiechydon y gweithwyr. Ond er cystal y bwriad, ni ellir ond cwestiynu doethineb penodi meddyg o Ddolgellau! Yn dilyn trychineb yn y mynydd yn 1785 pan laddwyd deugain o ddynion, bu raid i'r llawfeddyg Griffith Roberts deithio yr holl ffordd o Feirion i Fôn at y rhai oedd wedi'u hanafu. Am ei drafferth, talwyd iddo gyflog o dri chan punt y flwyddyn (sy'n gyfwerth â £16,809 heddiw).

Anfonwyd sawl llythyr at yr Ardalydd/Marcwis yn gwneud cais am bensiwn. Gan na allai llawer o'r gweithwyr ysgrifennu llythyr Saesneg eu hunain, aed ar ofyn rhai fel Cornelius Pritchard, Twrllachiad, blaenor Methodist ac asiant tir i deulu Llys Dulas. Credai rhai ei fod megis angel gwarcheidiol yn gwarchod buddiannau'r tlawd a'r anghenus, tra bod eraill o'r farn mai celwydd oedd llawer o'r llythyrau ac mai ei fwriad oedd codi crachod a chreu cythrwfl yn y gwaith. Gwrthodwyd rhai ceisiadau, e.e. Cornelius Solomon, 80 mlwydd oed a oedd wedi gweithio i gwmni *Mona Mine* am bedair mlynedd ar bymtheg, tra bod eraill yn llwyddiannus eu cais, e.e. Owen Ellis, 77 mlwydd oed a oedd wedi gweithio i'r cwmni am ddeunaw mlynedd ar hugain yn cael 4/- yr wythnos o bensiwn.

Ymysg y llythyrau a anfonwyd at y Marcwis roedd un William Jones:

Siafft i'r gogledd o Dŷ Injan Pearl

Adfeilion

Lliw naturiol mewn amgylchfyd marwaidd

Gwastraff o'r gwaith

Lle gosod trawstiau mewn storm – i ddiogelu hen borthladd Amlwch

Melin wynt bum hwyl – i godi dŵr o'r mynydd

Gweddillion y gwaith

Llyn llonydd a di-fywyd

Daear farwaidd

Rhagor o rwbel

Siafft 14 – nodi safle hen siafft

Un o adeiladau iard longau yr Ochr Draw (Iard Treweek)

Yr 'Open Cast' neu'r Twll Mawr

Un o'r rhai cyntaf i'w golli mewn gwaith copr

Carreg fedd teulu asiant yn y gwaith

Platfform arsyllu newydd

Peiriannau weindio (yn arddull Ibbetson)

Iard longau yr Ochr Draw

Adfeilion iard Mona

Gweddillion

Lle unwaith bu prysurdeb

Tŷ injan drawst Pearl (ceffyl y Marcwis)

Pyllau heyrn

'Hafn yn llawn o eithin mân a glaswellt hyd at lan y dŵr'

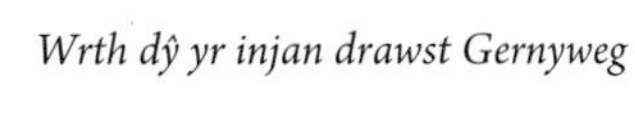

Wrth dŷ yr injan drawst Gernyweg

Odyn galch – balast i'r llongau

Toiled dwy sedd

Doc sych yng nghilfach Cwch y Brenin

Etifeddiaeth Gernyweg – capel Saesneg

Mona Lodge, Amlwch

Talpiau o slag

Toddi mwyn ar raddfa fechan!

Cerdyn Meddyg Mona/Parys Mine Ltd. (1902) – eiddo John Thomas

Clocsiau ar gyfer y gwaith (pâr o Benysarn)

I'w talu ym Môn, Lerpwl a Llundain

'A penny of some consequence'

Siafft Morris uwch y Graig Wen, gwaith Morfa Du

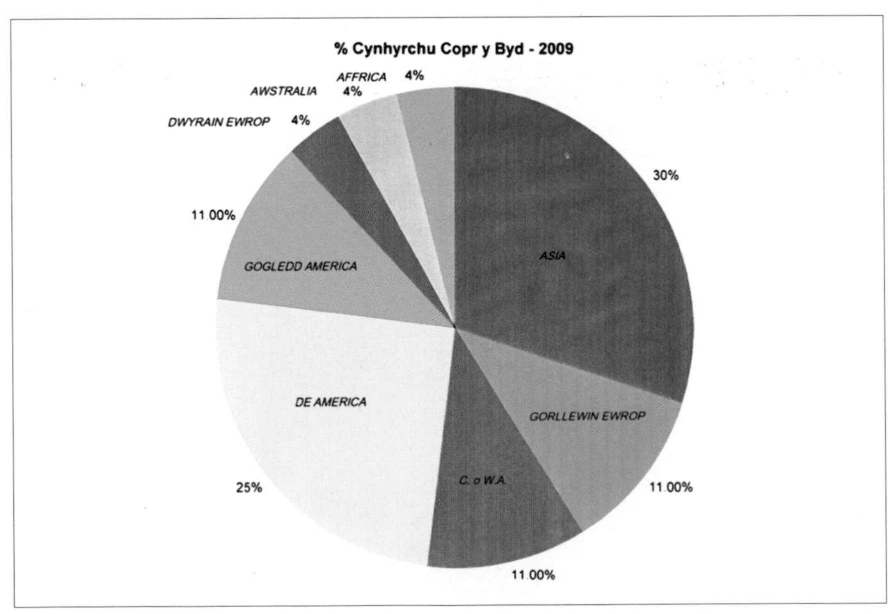

Graff yn dangos cynhyrchwyr copr y byd

Amlwch
1 January 1866

Dear Sir,

I beg most humbly to suggest for your consideration my pitiful condition being 77 years of age and having served Lord Anglesey at the Smelting Works uninterruptedly except in time of sickness for the space of 46 years I earnestly hope that his Lordship will please to allow me a small pension for the remainder of my days which at most will be but very few And his petitioner will ever pray

Your most humble servant
William Jones.

Yn 1817 cafwyd pleidlais i ddewis meddyg y gwaith. Y canlyniad oedd: Doctor Williams, 105 pleidlais; Doctor Roose, 157 pleidlais; Doctor R. Jones, 146 pleidlais; Doctor W. Jones, 15 pleidlais. Credai rhai o'r gweithwyr mai ffug etholiad oedd yr un a gynhaliwyd gan fod Stephen Roose, y buddugol, yn aelod o deulu'r asiant a bu raid i James Treweek wadu hynny'n gyhoeddus er mwyn eu tawelu.

Yn 1821 eto, y meddyg gwaith a ddewiswyd gan y gweithwyr oedd Dr Roose. Am ei wasanaeth, pe baent yn cael eu hanafu yn y gwaith, byddent yn talu 2d yr wythnos o'u cyflog. Erbyn 1831 roedd tri meddyg wedi cael eu penodi ar gyfer y gwaith ond rhaid oedd i'r rhai a anafwyd y tu allan i'r gwaith wneud eu trefniadau eu hunain gydag Undeb y Tlodion. Gwnaed cwyn am ymddygiad y tri meddyg ym mis Chwefror 1831. Oherwydd eu diffyg profiad a sgiliau trin pobl roedd y gweithwyr wedi colli hyder yn y meddygon ac yn sicr nid oedd croeso i'r un a oedd yn feddwyn! Cwynai'r gweithwyr eu bod yn gorfod talu i Mr Williams a Mr Roose (meddygon) pe bai arnynt angen triniaeth neu beidio. Credai'r cwynwyr y dylai'r meistri sicrhau gwell gofal meddygol i'r gweithwyr. Yn ddiweddarach yn y flwyddyn, sefydlodd Dr Webster, mab y swyddog assay, ei hun fel meddyg yn y dref a chaniatawyd i'r gweithwyr fynd ato ef ar ôl cael damwain, er bod disgwyl iddynt dalu'r tâl wythnosol i'w meistr o hyd.

Yn yr un flwyddyn, daeth achosion o'r geri marwol i Amlwch a sefydlwyd Bwrdd Iechyd Lleol gyda'r bwriad o lanhau'r strydoedd, golchi tai â chalch a chasglu dillad ar gyfer y tlodion. O 1845 ymlaen rhoddwyd yr hawl i'r gweithwyr ddewis eu meddyg eu hunain a'r cwmni'n talu. Talai'r Ardalydd

(Marcwis) i'w weithwyr fynd i ysbytai ym Mangor, Caer a Lerpwl a chynnig cymhorthdal iddynt o bedwar neu bum swllt yr wythnos tra oeddent yn yr ysbyty. Yn ddiweddarach, cytunwyd i roi hawl i'r gweithwyr ofyn am wasanaeth unrhyw feddyg o'u dewis, gyda'r gwaith yn talu'r costau i gyd.

Yn y cyfnod yma hefyd, gwnaed sawl cais am bensiwn ar ran y rhai a oedd wedi rhoi oes dda o waith yn y mynydd. Oddeutu 1860, cyflogwyd nifer o weithwyr ifanc yn y gwaith a bu'n rhaid i rai a oedd wedi bod yno am flynyddoedd orfod gadael a byw heb gynhaliaeth.

Mewn tystiolaeth i Gomisiwn Brenhinol yn 1863, mynegodd Dr Thomas Hughes o gwmni'r *Parys Mine* a Dr Richard Lewis Parry o gwmni'r *Mona Mine* mai pedwar swllt ar ddeg oedd cyflog wythnos – ar gyfartaledd – yn y gwaith. Roedd amgylchiadau'r gwaith yn galed iawn gydag ogleuon cordeit yn crogi ar yr aer am bron i ddwyawr wedi ffrwydrad. Nid oedd gan y gweithwyr ddewis ond anadlu'r aer hwnnw a dioddef, yn ddiweddarach, o'i sgil effeithiau. Roedd sawl un yn dioddef o lwch ar y frest neu'r diciâu am eu bod yn gorfod gweithio'u ffordd drwy haenau o gwartsid silica er mwyn cyrraedd at y copr. Perygl cyffredin arall oedd anadlu'r asid sylffyrig gwenwynig o'r tanau a losgai ar y mynydd. Roedd nifer fawr yn dioddef o grydcymalau hefyd a byddai gan ambell hen law ei feddyginiaeth ei hun, megis llyncu owns o bowdr gwn mewn peint o gwrw sbeis i wella'r afiechyd. Roedd eraill yn dioddef o ddiffyg traul am eu bod yn llyncu cymaint o de a choffi chwilboeth. Yn gyffredinol, roedd y ddau feddyg yn gytûn fod gweithwyr Mynydd Parys yn edrych o leiaf bymtheg mlynedd yn hŷn na rhywun o'r un oed a weithiai ym myd amaeth.

Codwyd ysbyty fechan o'r enw Dinorben Hospital yn Amlwch yn 1872, gyda'r Fonesig Dinorben o Lys Dulas yn talu'r gost o £600. Yn ôl Cyfeiriadur Worrall's (1874):

> *... it is run on the cottage principle and has been open about twelve months. It is well adapted for the purpose, being beautifully situated on the road to Bull Bay; it is supported by voluntary subscriptions.*
> *T. F. Evans, J.P., manager;*
> *Honorary medical officer, T.Hughes, Esq., M.D.;*
> *Honorary treasurer and secretary, Mr. John Lewis.*

Yn anffodus, bu raid cau'r ysbyty yn 1893.

Byddigion a Swyddogion

Syr Nicholas Bayly
Tirfeddiannwr ac aelod o deulu Plasnewydd. Gŵr Caroline, merch ac aeres Thomas, Arglwydd Paget, Beaudesert, swydd Stafford. Mabwysiadodd ei fab Henry y cyfenw Paget pan etifeddodd arglwyddiaeth Beaudesert yn 1769. Cafodd ei urddo'n Iarll Uxbridge yn 1784. Mab i Henry Bayly Paget oedd Ardalydd cyntaf Môn. Roedd Nicholas Bayly yn berchen safle'r *Mona Mine* ac yn rhannol berchen safle'r *Parys Mine* gyda William Lewis. Bu Nicholas Bayly farw yn 1782 a'i wraig yn 1766. Ceir cofeb i'r ddau yn Eglwys Llanedwen.

Thomas Beer
Cyfrifydd teulu Plasnewydd.

Edward Burke
Gwyddel o Tipperary ac un o reolwyr gwaith *Vitriol.*

John Cartwright
Asiant mwynau Nicholas Bayly.

John Dawes
Bancwr o Lundain a brynodd siâr teulu Plasnewydd o'r *Mona Mine.* Yn ddiweddarach daeth yn un o bartneriaid Thomas Williams.

Capten William Davey
Un o gyfranddalwyr y gwaith.

Capten Charles Dyer (1803 – 1879)
Un o reolwyr y gwaith o 14 Ebrill 1858 hyd ei farw yn 1879. Bu'n byw ym Mharys Lodge, Amlwch. Brodor o Ddyfnaint a fu'n gweithio yng ngweithfeydd plwm Northop cyn dod i Fynydd Parys. Roedd yn beiriannydd wrth ei alwedigaeth a chanddo ddiddordeb yng ngwleidyddiaeth ei gyfnod. Ef oedd trysorydd ei gapel lleol. Roedd hefyd yn hoff o gymdeithasu drwy gyfrwng ei gapel a Chymdeithas Wyddonol Amlwch. Ef drefnodd barti i

ddathlu pen-blwydd Sarah Jane Roose yn ugain oed – achlysur a gofiwyd yn hir yn Amlwch. O dan ei ofal ef gwnaeth y *Parys Mine* elw o £400,000 rhwng 1857 ac 1879. Pan fu farw 31 Mawrth 1879, ar i lawr fu hynt y cwmni wedyn nes iddo gau yn gyfan gwbl yn 1910.

William Elliot
Un a fu'n asiant i Nicholas Bayly.

Thomas Fanning Evans (1841 – 1891)
Ganed ym Mona Lodge, Amlwch yn fab i oruchwyliwr yn y mynydd. Dilynodd ei dad yn y gwaith. Fe'i penodwyd yn Arolygydd Gweithfeydd Mwyn y Llywodraeth yng ngogledd Cymru ac yn ôl un stori, pan gafodd ei gyfweld ar gyfer y swydd, sylweddolodd y sawl a oedd yn ei holi fod Thomas yn llawer mwy gwybodus na'r holwr ei hun! Roedd yn uchel ei barch ymysg gweithwyr y mynydd am iddo unwaith, mewn cyfnod anodd, ddiddymu eu dyledion i'r cwmni. Yn 1880 cyflwynodd ei enw fel ymgeisydd seneddol yn y sir ond oherwydd 'gwrthdaro diddordebau' gadawodd ei swydd a ffurfio'r *Parys Mine Company*. Yn ddiweddarach, gwasanaethodd fel ynad heddwch ac fel uchel siryf. Bu farw 24 Mai 1891 tra oedd ar daith yn Iwerddon ac fe'i claddwyd ym Mynwent Gyhoeddus Amlwch.

Alexander Frazer
Mae llawer o ansicrwydd ynghylch ffeithiau ei fywyd. Credir iddo gael ei eni yn 1663/67 a'i addysgu yng Ngholeg y Brenin, Aberdeen rhwng 1678 ac 1683. Yn ôl un hanesyn, mewn dawns yn 1692 lladdodd Frazer bibgodwr neu ffidlwr a bu raid iddo ddianc o'r Alban. Credir iddo gael lloches yng Nghymru. Cofnodwyd ei enw fel gweithiwr yn y Penrhyn Du yn 1733. Daeth i Fôn i weithio i Syr Nicholas Bayly yn 1761, er bod adroddiad yn y wasg yn 1885 yn dweud iddo dderbyn ei dâl cyntaf o £30 17s 11d am waith a wnaeth yn 1775. Roedd yn un o'r criw a ddarganfu gopr yng Ngherrig y Bleiddia. Bu'n gweithio yn y mynydd hyd at ei farwolaeth yn 1776. Un o adar brith y gwaith.

Thomas Gaynor
Asiant tanddaearol yn y *Mona Mine* ond oherwydd henaint a llesgedd cafodd swydd taliwr.

Samuel Howson
'*Late Agent of Paris Mine who departed this life the 13th day of November 1775 aged 52 years ...*' Fe'i claddwyd ym mynwent Eglwys Sant Eleth, Amlwch.

Y Parchedig Edward Hughes (Chwefror 1738/9 – 1815)
Derbyniodd radd MA o Goleg Iesu, Rhydychen yn 1756. Tra oedd yn gurad Trefdraeth, priododd â Mary Lewis, merch rheithor Trefdraeth, Ynys Môn. Ar farwolaeth ei hewythr yn 1761 etifeddodd Mary stad Llys Dulas a oedd yn cynnwys rhannau o Fynydd Parys. Mewn dadl gyfreithiol â Nicholas Bayly, llogwyd y cyfreithiwr Thomas Williams i ymladd yr achos. Gwnaeth y teulu eu ffortiwn a phrynu stad Kinmel yn 1786.

Cyrnol William Lewis Hughes
Mab hynaf y Parchedig Edward Hughes. Bu'n Aelod Seneddol Wallingford a chafodd ei urddo'n Arglwydd/Barwn Dinorben o Kinmel yn 1831. Roedd yn ADC i'r Frenhines Victoria ac yn gyrnol ym Militia Môn. Bu farw yn 1852.

William Hughes (1770 – 1840)
Certmon o Fadyn Dysw a deilydd cytundeb certio o'r mynydd am ugain mlynedd o 1811 ymlaen. Ganddo ef yr oedd y monopoli ar y gwaith. Roedd ganddo ddau geffyl ar hugain a chyflogai ddeuddeg dyn a enillai 12/- yr wythnos o gyflog.

Capten James Job
Brodor o Perran, Cernyw; asiant. Roedd yn byw yn Stryd Methusalem, Amlwch yn 1841.

Joseph Jones (1787 –1856)
Ei enw barddol oedd Chwanneg Môn. Cofir amdano'n bennaf fel beirniad, hynafiaethydd a llenor. Bu'n gweithio am gyfnod fel goruchwyliwr yn y mynydd ac yna fel melinydd Melin Adda, Pentrefelin, Amlwch. Symudodd i fyw i Gaernarfon ac yno bu'n ymhél â byd llenyddiaeth. Ychydig iawn, os o gwbl, o'i waith sydd wedi goroesi ac efallai iddo fod yn fwy adnabyddus am ei ran yn 'storm' Eisteddfod Aberffraw yn 1849 pan gadeiriwyd Nicander yn hytrach nag Emrys. Bu farw 23 Mawrth 1856 a'i gladdu ym mynwent

Llanbeblig, Caernarfon.

William Jones (1803 – 1847)
Fe'i claddwyd ym mynwent Eglwys Eilian, Llaneilian. Dyma'i feddargraff:

Sacred
to the memory of
WILLIAM JONES, late of Penmaen and
Agent of Parys Mine, who departed
this life 11 Sept. 1847 in the 44th year of his age,
to the great grief of his wife and numerous
family and a large circle of friends.

Alfred Lemin
Gŵr a gamgyhuddwyd yn fwriadol gan Joseph Jones. Roedd Jones am ei ddiswyddo o'i waith gan fod gormod o Saeson yn gweithio yno ar draul y Cymry, yn ei farn ef.

William Lemin
Claddwyd ym mynwent Eglwys Sant Eleth, Amlwch. Ar ei garreg fedd fe welir y geiriau canlynol: '*In memory of Capt'n William Lemin late Agent of Parry's Mines died Octr. 16th 1844 aged 72 years.*'

Mary Lewis
Trydedd ferch y Parchedig Robert Lewis, rheithor Trefdraeth, Ynys Môn a Changhellor Bangor. Priododd Mary ag Edward Hughes (gweler uchod) ar 16 Awst 1765. Etifeddodd stad Llys Dulas ar farwolaeth ei hewythr, William Lewis.

William Lewis
O Lys Dulas ac yn rhan-berchennog Parys Farm hyd ei farw yn 1761. Brawd-yng-nghyfraith William Bwcle, y dyddiadurwr, Brynddu, Llanfechell.

Thomas Mitchell
Gŵr o Gernyw a fu'n gyfrifol am y *Parys Copper Corporation* o 24 Mawrth 1879 ymlaen.

Henry Paget (17 Mai 1768 – 29 Ebrill 1854)
Ardalydd cyntaf Môn ond fel pob un arall o'i ddisgynyddion câi ei adnabod fel 'y Marcwis'. Roedd yn fab i Henry Bayly Paget o Uxbridge ac yn ŵyr i Syr Nicholas Bayly, Plasnewydd. Cafodd ei eni yn Llundain a'i addysgu yn Ysgol Westminster a Choleg Eglwys Crist, Rhydychen. Ymunodd â'r fyddin yn 1793 a daeth i amlygrwydd cenedlaethol am iddo golli ei goes dde ym Mrwydr Waterloo. Fe'i claddwyd yn Eglwys Gadeiriol Lichfield.

William Parry
Yn wreiddiol o Aberffraw ond yn byw yn Stryd y Glorian yn 1881.

John Wynne Paynter (12 Mehefin 1815 – 1883)
Brawd i William Cox Paynter, perchennog Iard Longau yr Ochr Draw. Cafodd ei eni ym Maes Llwyn, Amlwch a'i addysgu yn Ysgol Ramadeg Beaumaris. Bwriad y teulu oedd iddo hyfforddi i fod yn feddyg y 'Cwmni Cymreig' i weithio'r mynydd. Ar y cyd â Thomas Fanning Evans, bu'n prydlesu'r *Mona Mine* am dros ddeng mlynedd ar hugain o 1866 ymlaen. Ef hefyd, yn 1816, a gododd Felin Mona ym Mhorth Amlwch – y felin fwyaf ym Môn (7 llawr gyda 4 pâr o feini melin). Roedd yn flaenor Wesla a bu'n godwr canu yn y capel am hanner can mlynedd. Bu hefyd yn ynad heddwch ac yn uchel siryf yn 1871. Cafodd ei gladdu yn Amlwch.

Hugh Price, Wern, Llandegfan
Asiant Syr Nicholas Bayly yn chwarter olaf y ddeunawfed ganrif. Bu'n uchel siryf y sir rhwng 1792 ac 1793.

John Price (1754 – 1804)
Mab Hugh Price. Prif asiant y *Mona Mine* ar un cyfnod ac yn byw ym Mona Lodge, Amlwch. Uchel Siryf y sir yn 1800. Bu farw yn Llandeilio tra oedd ar daith yn ne Cymru.

John Price (1780 – 1855)
Un o wyrion Hugh Price. Fel ei dad a'i daid, bu'n asiant ym Mynydd Parys.

William Rees
'*... late of Amlwch many years agent of the Smelting Works who departed*

this life September 7th 1845 aged 69 years ...' Fe'i claddwyd ym mynwent Eglwys Sant Eleth, Amlwch.

Evan Richards
'*... formerly of Swansea in the County of Glamorgan and late of this parish, many years one of the agents to the Mona and Parys Mine Companies. He departed this life on the 28th day of June 1811 in the 65 year of his age. Sincerely regretted by all who knew him.*' Fe'i claddwyd ym mynwent Eglwys Sant Eleth, Amlwch.

Hugh Roberts
Gweithiai fel clerc cyn cael ei ddyrchafu i'r swyddfa '*assay*'.

Charles Roe (1715 – 1781)
Sefydlydd *Roe & Co.* (*Macclesfield Copper Company*). Câi ei adnabod fel un o ddiwydianwyr mawr ei gyfnod, gyda chryn ddiddordeb yn y diwydiant metal a'r diwydiant cynhyrchu sidan. Cafodd ei eni yn Castleton, swydd Derby, yn fab i berson y plwyf ond ar ôl colli ei rieni, symudodd i Macclesfield. Wedi profi llwyddiant yn y diwydiant cynhyrchu sidan, mentrodd i fyd metalau yn 1758 gan ymddiddori ym myd mwyngloddio a smeltio copr. Bu'n gweithio ac yn buddsoddi ei arian ym Macclesfield, yn swydd Caer ac yn Ardal y Llynnoedd cyn symud i Fôn yn 1763 pan gafodd les am 21 mlynedd ar waith ar Fynydd Parys a datblygu'r *Mona Mine*. Er colli'r les yn 1786, roedd *Roe & Co.* wedi bod yn gyfrwng i ddatblygu'r *Parys Mine Company*. Bu *Roe & Co.* yn gweithio yng ngweithfeydd copr *Avoca* yn Iwerddon hefyd. Wedi marw'r tad, bu Willliam, ei fab hynaf yn rhannol gyfrifol am y cwmni.

Richard Rothwell (1813 – 1861)
Peiriannydd. Fe'i claddwyd ym mynwent Eglwys Eilian, Llaneilian. Ar ei garreg fedd gwelir y geiriau canlynol:

Sacred to the memory of
RICHARD ROTHWELL
Mining Engineer
Who departed this life 27th Dec.
1861, aged 48

Jonathan Roose (1731 – 1813)
Ganed Roose yn Birchover, swydd Derby. Cyn symud i Amlwch bu'n gweithio yn Llŷn. Bu farw yn 82 mlwydd oed ar 6 Chwefror 1813. Ar ei garreg fedd mae darn o farddoniaeth yn clodfori ei waith:

Among the throng of congregated dead
Of kindred men who's spirit hence are fled
Has lived one who's mind had long to bear
A toilsome task of industry and care
He first yon mountain wondrous riches found
First drew it's mineral blessing from the ground.
He heard the miners first exhaulting shout
Then toiled near fifty years to guide it's treasures out.

The curse of time will soon this stone decay
His name, his memory will pass away
Yet shall be left some monument behind
The mighty products of his mastermind
Those labour'd levels which he formed to draw.
The teemful waters to the vale below
And pillared caverns whence he drew the ore
Will long his genius shine when known his name no more.

Stephen Roose (1799 – 1854)
Asiant.

William Stephens
Un o Fryste; asiant.

George Thomas
'*... Agent and Copper Refiner in this town and formerly of Llanelly, in the County of Carmarthen, South Wales ...*'

William Thomas
Adeiladwr llongau adnabyddus o Amlwch. Perchennog yr Iard Newydd a chapten 19 mlwydd oed y sgwner *Red*, un o longau Nicholas Treweek.

Capten Thomas Tiddy

Rheolwr y gwaith. Ar 13 Medi 1806 roedd yn dyst ym mhriodas James Rapsey, gŵr gweddw, ac Anne Rowe, gwraig ddibriod o Perranarworthal yng Nghernyw. Fe'i penodwyd i'w swydd yn 1819 gan James Treweek. Bu raid iddo ymddiswyddo oherwydd i'r gweithwyr fynd ar streic o ganlyniad i'r trefniadau talu newydd a gyflwynwyd gan yr asiant. Ni fu'n boblogaidd o gwbl a thra oedd yn cuddio yng nghwt peiriant Carreg y Doll, ffrwydrodd y foeler. Roedd y gweithwyr mewn cyfarfod gweddi ar y pryd.

James Treweek (1779 – 1852)

Un o Gwennap, Cernyw. Symudodd i Amlwch yn 1811 i fyw ym Mona Lodge. Cafodd ei gyflogi'n oruchwyliwr yn y mynydd am 37 o flynyddoedd gan y Marcwis. Ymysg ei ddyletswyddau roedd talu '*smoke trespass*' i gurad Amlwch am fod mwg o'r mynydd yn creu niwsans yn ei dŷ. Talai '*English duty*' er mwyn cael un gwasanaeth Saesneg yn eglwys y plwyf ar y Sul. Roedd hefyd yn berchennog llongau ac yn Wesla mawr. Cafodd ei gladdu yn Amlwch.

Mae'n siŵr mai at Treweek y cyfeiria'r disgrifiad o 'stiwardiaid ddoe yn cyrraedd yr ynys yn "droednoeth, 'sgyrnoeth", yforu a'u llongau yn bwhwman fel gwenoliaid ymhob cyfeiriad'.

Ond er gwaethaf pob sarhad a daflwyd ato pan drigai yn Amlwch, roedd Treweek yn ŵr agos iawn i'w le a thalwyd teyrnged haeddiannol iddo gan Gareth Haulfryn Williams:

> Yr oedd James Treweek yn enghraifft o ddyn ddaeth â'i ffydd Wesleaidd gydag ef i Gymru, ymunodd â'r achos Wesleaidd Cymraeg a gweithodd yn galed i hybu'r enwad, gan brofi ei hun yn bregethwr effeithiol nid yn unig yn Saesneg ond hefyd, wedi iddo ddysgu'r iaith, yn y Gymraeg hefyd. Yr oedd yn ddyn dylanwadol, yn ennill parch ei feistr ac yn troi yn rhwydd ymysg pobl bwysig Ynys Môn.

John Henry Treweek (1817 – 1876)

Mab i James (uchod) a ddilynodd yn ôl troed ei dad fel goruchwyliwr (1847) a pherchennog llongau. Cafodd yntau ei gladdu yn Amlwch.

George Trewren (1 Ionawr 1812 – 1 Tachwedd 1876)
Gŵr o St Blazey, Cernyw. Dilynodd Thomas Tiddy fel asiant y gwaith yn 1860. Bu'n byw am gyfnod ym Modgadfa, Penrhyd, Amlwch. Bai mawr Trewren oedd iddo ffafrio'r ddau frawd William a George Buzza yn y gwaith. Fe'i cyhuddwyd o dderbyn eu telerau hwy am fargen wedi iddi gael ei gwrthod gan Gymry. Aeth y gweithwyr ar streic ac fe ddiswyddwyd eu harweinydd Owen Roberts. Pan gafodd ei ailbenodi i'r swydd, gadawodd Trewren y gwaith. Fe'i claddwyd ym mynwent Eglwys Sant Eleth, Amlwch.

Peter Webster
'*... Tanybryn ... who departed this life December 29 1855 aged 75 years having served the most noble The Marquis of Anglesea as an Assay master for 56 years ...*' Claddwyd ym mynwent Eglwys Sant Eleth, Amlwch.

Thomas Williams (13 Mawrth 1737 – 19 Tachwedd 1802)
O blith pawb y cyfeirir atynt yn *Llyfr Hanes Mynydd Parys*, efallai bod dau enw yn cael eu dwyn i gof yn amlach na'r gweddill: un yw Thomas Williams; Catherine Randall yw'r llall (gweler isod).

Roedd rhyw ddeuoliaeth yn perthyn i Thomas Williams. Roedd yn Gymro glân ond eto fe dreuliodd gyfnod o'i oes ym mhellafoedd Lloegr a chynrychiolai Great Marlow, swydd Buckingham fel Aelod Seneddol (1790 – 1802). Cafodd fagwraeth gymharol gyffredin ond treuliodd ei fywyd yn gwasanaethu ac yn troi ymysg byddigion. Deuai o gefndir amaethyddol ond cofir amdano fel un o arloeswyr mawr y Chwyldro Diwydiannol, os nad y mwyaf o'i gyfnod. Bu'n rheolwr gwaith i Nicholas Bayly a'r Parchedig Edward Hughes ac fe'i disgrifiwyd fel '*... the despotick sovereign of the copper trade ...*' ac '*... a perfect tyrant and not over tenacious of his word and will screw damned hard when he has got anybody in his vice ...*' gan Matthew Boulton. Ond eto, i bobl Môn hyd heddiw, ei enw ar lafar gwlad yw 'Twm Chwarae Teg'. Enw arall a roddwyd iddo oedd 'Shôn Gwialan' gan mai ef oedd ysgogydd, os nad awdur, pamffled yn condemnio Esgob Warren, Bangor a oedd hefyd yn rheithor Amlwch, am i'r esgob wrthod codi eglwys newydd yn y plwyf.

Mab Owen Williams, Cefn Coch, Llansadwrn a Jane, merch Hendre Hywel, Llangefni oedd Twm a chafodd y fraint o dderbyn addysg dda. Fe'i hyfforddwyd yn gyfreithiwr yn Ninbych dan ofal Mr Lloyd, Tre'r Beirdd, sir y Fflint. Erbyn y 1760au roedd yn gyfreithiwr adnabyddus ac yn cael ei gyflogi gan deuluoedd cefnog Ynys Môn. Gan fod ei gysylltiadau teuluol, o'r ddwy ochr, yn ymwneud â phwysigion yr ynys, '... gwaith cymharol hawdd fu iddo fyned i fyny llawes gw^yr mawr y sir ...' meddai'r hanesydd John Rowlands ac fe allai fforddio rhentu stad Llanidan gan yr Arglwydd Boston.

Yn 1768 cynrychiolodd deulu Llys Dulas yn eu hachos cyfreithiol yn erbyn Syr Nicholas Bayly. Yn ystod deg mlynedd o ddadlau cyfreithiol, gwnaeth gryn argraff ar Bayly ac yn ddiweddarach bu'n cydweithio â'r ddau deulu, er mawr fantais iddo ef ei hun. Wedi trefnu cytundeb rhwng y ddau deulu yn 1778, daeth Williams i gytundeb â bancwr o Lundain a'i benodi'n asiant lleol iddo. Derbyniodd hefyd swydd goruchwyliwr tiroedd Llys Dulas a sefydlodd y *Parys Mining Company*.

Roedd yn weithiwr caled a gweledigaeth ganddo. Roedd ganddo hefyd y gallu i droi'r dŵr i'w felin ei hun. Sefydlodd rwydwaith o weithfeydd i reoli cynhyrchu copr yng ngogledd Cymru ac ym Mhrydain a oedd yn cynnwys gwaith smeltio, ffatrïoedd a melinau, gweithfeydd cemegol, warws a stordai, trefn o werthiant a banciau. Ar ôl i les y *Mona Mine* ddirwyn i ben yn 1786, mentrodd Williams ei chymryd ac fe ddaeth, yn ddiweddarach, yn ben ddiwydiannwr Prydain ei gyfnod. Credir bod ganddo ffortiwn bersonol o tua £1,000,000 yn 1800.

Sefydlodd bartneriaeth â John Westwood o Birmingham a oedd â hawl ar ddyfais rowlio copr ar gyfer gweini llongau'r Llynges a gwneud bolltau i'w dal yn eu lle. Erbyn 1784 roedd Thomas Williams wedi perffeithio ei ddull ei hun o wneud bolltau â chopr i weini'r llongau ac yn cynhyrchu hyd at 40,000 bollt yr wythnos. Ymhen deuddeg mis, ef hefyd oedd yn gyfrifiol am gwmni'r *Mona Mine*. Erbyn 1785 hefyd, yng nghwmni eraill megis Boulton, Wilkinson a Vivian, roedd wedi sefydlu'r cwmni *Cornish Metal Company* i werthu copr ar y cyd â chopr o Fôn ac o Gernyw ond roedd yn ddigon hirben neu stimrwg i ganiatáu mai dim ond cyfran o gopr Môn a gâi ei werthu yn enw'r cwmni; cadwai'r gweddill iddo'i hun a'i werthu am bris mwy rhesymol. Cododd burfeydd copr i gystadlu â phurfeydd Abertawe. Buddsoddodd arian yn y diwydiant tun yng Nghernyw. Yn ystod y cyfnod y bu'n ymwneud â Mynydd Parys, amcangyfrifir fod tua 130,000 tunnell o gopr wedi'u cloddio o'r mynydd ac efallai iddo fod yn euog o or-gynhyrchu.

Cafodd ei ethol yn Aelod Seneddol dros Marlow yn swydd Berks lle'r oedd ganddo blasty a'r gwaith copr *Temple Mills* ond o 1791 ymlaen, llithrodd ei reolaeth ar sawl menter o'i afael ac mewn cyfnod cymharol fyr, daeth dirywiad i amgylchiadau'r gwaith yn y mynydd ac i iechyd Williams.

Bu farw yng Nghaerfaddon gan adael Catherine, merch ei gynhyfforddwr yn y Gyfraith, ei weddw; dau fab a thair merch.

Gyda llaw, y darlun olaf i Kyffin Williams ei brynu cyn ei farwolaeth oedd un o Thomas Williams.

Manylion o
Amlwch and the Celebrated Mona and Parys Copper Mines

Corrected and enlarged; Printed by Enoch Jones, Wrexham Street, Beaumaris: 1848

MONA MINE AGENTS

Head Agent – JAMES TREWEEK, Esq., who has the general control, and conducts the financial matters of the Mona Mine and Smelting Works.
Pit-Work & Engineering – Captain T. Tiddy.
Surface & Underground Operations – Mr. J. H. Treweek.
Ore-dressing and other Departments – Captain Job.
Assay Chemist – Mr. W. G. Treweek.
Assistant – Mr. Thomas.
Principal Accountant – Mr. E. Evans.

PARYS MINE

Head Agent – C. B. Dyer, Esq., who has general control and conducts the financial affairs of this mine.
Surface & Other Departments & Underground Operations – Mr. C. E. Dyer.
Assay Chemists – Mr. H. Roberts & Mr. John Dyer.

SMELTING WORKS

Principal Refiner & Agent – Mr Edward Reese.
Agent for other Departments – Mr William Hughes.
Accountant – Mr. John Jones, who is likewise Collector of Harbour Dues.

Gwaith ... a Gorffwys

O astudio manylion gwahanol gyfrifiadau o 1841 ymlaen, gwelir bod dylanwad y mynydd yn drwm ar y cymunedau lleol. Roedd hi'n ddigon naturiol i hynny ddigwydd yn Amlwch, a oedd yn graddol ddatblygu o fod yn bentref cymharol ddi-sylw i fod yn dref a phorthladd sylweddol. Poblogaeth Amlwch yn 1841 oedd 3,373. Roedd yr un dylanwadau i'w gweld mewn pentrefi bychain cyfagos hefyd, megis Rhos-y-bol. Pentref rhubanllyd yw Rhos-y-bol a ddatblygodd o gylch yr eglwys a'r dafarn ar y brif ffordd o Amlwch i Lannerch-y-medd gyda nifer o ffermydd o'i amgylch.

Yn 1841 roedd tua 590 yn gweithio yn y gwaith copr. Golygai hynny fod 57% o'r boblogaeth leol yn fwynwyr neu doddyddion (*smelters*) gan adael gweddill y boblogaeth i gyflawni swyddi eraill fel gweision ffermydd, gwragedd tŷ, plant a.y.b. Ymhen deng mlynedd, pan oedd bron i ddau gant yn gweithio yn y mynydd, roedd cyfanswm trigolion Rhos-y-bol a gâi eu cyflogi yno wedi gostwng i 35 ond erbyn 1861, roedd wedi cynyddu eto i 52. Yn 1871, pan oedd poblogaeth y gymuned wedi gostwng i tua 230, roedd ugain, sef 8.6% ohoni, yn cael eu cyflogi yn y mynydd. Ar i lawr yr aeth y cyfanswm wedyn: 1881 – tua 12; ac yn 1891 – pan ganolbwyntiwyd ar weithio yn y pyllau paent a'r pyllau gwaddodi yn unig – dim ond 6 o'r ardal oedd yn gweithio yn y mynydd; ac yn 1901 – pan oedd 141 yn gweithio ym mhob agwedd o waith y mynydd – roedd 13 ohonynt o Ros-y-bol. Fel ag yr oedd y rhod yn troi ac oes aur y mynydd yn dirwyn i ben, bu raid chwilio am swyddi eraill ond yn Rhos-y-bol roedd dylanwad y diwydiant amaeth yn parhau cyn gryfed ag erioed, a swyddi eraill yn ymddangos a sawl un yn gweithio i'r Post neu ar y rheilffordd.

Y Copar Ladis

O bawb y cyfeirir atynt yn *Llyfr Hanes Mynydd Parys*, efallai bod dau enw yn cael eu dwyn i gof yn amlach na'r gweddill ac un yw Catherine Randall (Thomas Williams yw'r llall – gweler uchod). Ac eto, pe baech yn holi am Catherine, ychydig iawn a fyddai'n gyfarwydd â'i henw priodol gan mai fel 'Cadi Rondol' y cyfeirir ati o hyd ar lafar gwlad. Hi, heb os, oedd y Gopar Ladi enwocaf o bob un a fu'n gweithio yn y mynydd ac roedd hi – does dim dwywaith – yn un o fil. Rhai eraill o'r un criw a ddaeth i amlygrwydd oedd Jên Ifas, Neli Jones, Phebi Morus ac Elin Rowland ond roedd degau, os nad cannoedd, o ferched wedi ennill eu lle yn chwedloniaeth y gwaith copr.

Gwaith y merched hyn, ran amlaf, oedd torri'r mwyn yn ddarnau bach. Ymffrostient nad oedd hyn yn cael ei ystyried yn waith caled iawn gan fod y merched i gyd wedi hen arfer ag oriau hir a dwys ar y fferm neu'n troelli gwlân. Byddai tua 60-80 o ferched yn gweithio ar y tro, dan do, mewn sied fawr bren, swnllyd. Eisteddent ar stolion, yn rhesi o drigain, weithiau bedwar ugain yn wynebu ei gilydd. Byddai nifer o blant yn gweini arnynt ac roedd pawb yn ddiolchgar nad oeddent, fel mewn gweithfeydd eraill, yn gorfod gweithio dan ddaear. Am eu llafur derbynient fwy o gyflog na gwas fferm/morwyn fach ac ym mlynyddoedd cynnar y bedwaredd ganrif ar bymtheg y cyflog oedd 10c am shifft o ddeuddeg awr neu chwe swllt yr wythnos – a oedd yn ddwywaith cyflog gweithiwr fferm ar y pryd. Yn ogystal â hyn, wedi iddynt fynd yn hen a methedig, gyda gobaith, caent bensiwn o 18c yr wythnos.

Un o hynodrwydd y Copar Ladis oedd eu dillad gwaith. Eilbeth oedd ffasiwn iddynt wrth gwrs; ymarferoldeb oedd yn bwysig. Byddent '... yn ddychryn i blant bach y gymdogeth gan y byddent yn gwisgo maneg haearn ar un llaw ac yn cario morthwyl yn y llall. Gwisgent bais o stwff cartref a becwn o barclod a ffunen felen wedi ei phlygu'n groesgongl am eu pennau'. I goroni'r cwbl, gwisgent het Jim Cro'.

Roedd gan bob un o'r merched farclod neu ffedog ledr o'u blaen i arbed eu cyrff a'u cluniau rhag cael eu niweidio gan y cerrig. Am eu llaw chwith gwisgent faneg ledr, drwchus efo cylchoedd haearn am y bysedd i godi lwmp o fwyn o'r pentwr wrth eu hochr. Byddent yn rhoi'r lwmp ar y garreg daro (*knock stone*) o haearn, oedd ar yr ochr dde, cyn ei daro efo morthwyl hir, cul a bwysai bedwar pwys. Byddai'r mwyn yn chwalu'n gnapiau cymharol fychan – yr un maint ag wy iâr – a'r gwastraff yn cael ei glirio gan y plant. Ar eu pen gwisgent ffunen neu sgarff batrymog i gadw'r llwch a'r sŵn byddarol o'u clustiau ac am eu traed gwisgent yr unig beth cyfforddus oedd ganddynt, sef pâr o glocsiau Llannerch-y-medd neu Ben-sarn. Y fantais o wisgo gwadnau pren oedd na fyddai dŵr asid y mynydd yn eu handwyo, fel ag y gwnâi i bob defnydd arall.

... Maent oll yn ferched medrus
A hwylus hefo'u gwaith,
A'u henwau geir yn barchus
Gan fwynwyr o bob iaith;
Hwy weithient oll yn galed
Am gyflog bychan iawn.
O'r braidd cant drigain ceiniog
Am weithio wythnos lawn ...

... Er hynny maent a'u tyau
Bob un yn llawn o fwyd;
Y te a'r peilliad goreu –
Nid llaeth a bara llwyd;
A'r coffi cry' ac wyau,
A chig y mochyn du,
A chrampog deneu'n nofio
Mewn menyn ymhob tŷ.

Jên Ifas

Efallai bod Jên wedi cael llond bol ar weithio yn y gwaith copr ac wedi gadael cartref i chwilio am aur ar balmentydd dinas Lerpwl. Ar y llaw arall, efallai mai dadlennu dyheadau rhywun arall a wnaeth yn y llythyr a ysgrifennodd at ei rhieni ac a ddarllenwyd mewn cyfarfod diwylliannol yn y mynydd:

Nerpwl.
Dugwuldewi,
Eititw.

Anwl Mam a Nhad,

'Rwan rydw i yn gweld mod i chwedi cholli hi heb ddysgu sgfenu. Mi brintis i lawar hefo nhraud yn y gors yna; a rwan rhaid i mi brintio hefo neulo i chitha, am ngwaith i yn chwara triwant rhag mund i 'rysgol ... O mam, mau ma le digri, chwyliachi byth, dos dim posib gwelad hud nod y rawyr yma heb fynd ar wastad i gefn ar lawr y rhen strydodd myinion yma, ac ydrach i fyny yn suth ... dyma riw fwstpil pyudwartrouid hyibio ngwumad i felmelladan oddar wal y tu nesa ... Mi ddylis i wir ma ysbrud Catrin Rondol odd wedi rhoi lego i fflodiart fawr Dyffryn Coch, a bod hi wedi hedag yma fel i ddangos rw grousdar oudd i nghwarfod i ... Ydwyf yn bur fur a bler, am anfon cofion cynnas atoch, eich serchogaf ferch,

Jen Ifan.

Efallai bod Lerpwl yn ddigon pell o Fynydd Parys ond yn y mynydd yr oedd ei chalon o hyd.

Mary Morris
Hen hen nain Elizabeth Jones a hen nain Mair y Wern, Pengorffwysfa, Llaneilian.

Phebi Morus
Yn ôl disgrifiad Owen Griffith ohoni, roedd Phebi yn '... hen wreigan barchus, dew, drwsgwl, drom, a phrif fasso côr y merched'. Ond yn anffodus i'r sawl oedd yn eistedd yn ei hymyl, roedd llais Phebi yn cael ei gymharu â dyn neu lo dan annwyd! Yn wir, '... yr oedd bâs Phebi Morus mor nerthol braidd a bâs y ddau hefo'u gilydd'. Roedd ei sŵn i'w glywed o bellter a'r sŵn hwnnw yn uwch na sŵn y lli gron oedd yn troi yn y gwaith. Er cymaint y gwamalu, roedd Pegi yn wirioneddol gerddorol a barddonol.

Siani Roland
Ail wraig Robert Lewis, Tŷ Saeri a mam Harri.

Cadi Rondol

Er cynifer o weithiau y clywais fodryb imi'n dweud ein bod, fel teulu, yn perthyn i Cadi Rondol, mae arnaf ofn na fedraf brofi hynny a rhaid byw gyda'r siom. Byddai llawer un yn falch o allu dweud nad oes cysylltiad gwaed rhyngddynt a'r gwrthrych dan sylw ond fe hoffwn i feddwl bod rhywfaint o ddiawledigrwydd Cadi yn perthyn i mi – ac efallai y byddai hynny'n egluro cymeriad ambell aelod arall o'm teulu!

Os bu cymeriad erioed, Cadi oedd honno. Yn anffodus, prin iawn yw'r manylion pwysig am ei bywyd y gwyddwn amdanynt ond mae'r hanesion sydd wedi'u cadw yn rhai gwerth eu clywed a'u hailadrodd.

Un o ddwy o ferched John a Jane Randall oedd Cadi. Teulu o bobl ddwad oeddent i Amlwch, er nad oes sicrwydd o ble. Roeddent yn byw yn Parc Bach ger Glanrafon, Pen-y-sarn. Bu farw Jane a'i chladdu ar 2 Medi 1794.

Chwaer i Cadi oedd Elen Randall. Eto, prin yw'r manylion amdani hithau ar wahân i'r ffaith iddi briodi Henry Wilson ar 18 Hydref 1775 yn hen eglwys y plwyf yn Amlwch. Gallai lofnodi ei thystysgrif priodas ac felly roedd wedi derbyn rhyw gymaint o addysg. Efallai bod Cadi, hithau, wedi cael tymor byr mewn ysgol.

Ganed Cadi yn 1743 a bu'n gweithio yn 'y mynydd' o 1761 ymlaen. Talai ddau swllt o rent i'r Marcwis am fwthyn bychan yn Dyffryn Coch. I allu dal ei thir yn Amlwch yn y cyfnod y bu'n byw yno, roedd raid i Cadi fod o gymeriad cryf. Roedd yn butain enwog a'i hiaith anweddus i'w chlywed drwy'r dref. Nid oedd ganddi gywilydd defnyddio'i dyrnau a thrais i setlo unrhyw un a godai ei gwrychyn. Pan fentrodd John Jones (1762-1822), un o flaenoriaid Capel Mawr Amlwch, ei chystwyo am ymddygiad afreolus a rhegi yn gyhoeddus ar y stryd, cafodd ei fygwth â chyllell!

Cafodd Cadi droedigaeth fawr yng Nghapel Mwd, Pengraigwen tua 1788 a bu hynny'n ddigon i ambell un ddweud, '... Erys enw Cadi yn fyw ... tra bydd sôn am Fethodistiaeth yn y wlad ...'. Bu'n aelod pybyr o Gapel Lletroed a cherddai i bellafoedd Môn i fynychu gwasanaethau mewn capeli eraill. Pan fentrodd un o drigolion Amlwch edliw ei gorffennol lliwgar, meddai wrtho, 'Ie, 'ngwas gwirion i, reit wir, ond putain wedi ei golchi, hen Fair Fagdalen wedi ei glanhau ... '. Yn Llanfwrog, aeth i gymaint o stêm fel y neidiodd ar y sedd a'i malu! Dro arall, ar ganol gwasanaeth, cofiodd iddi adael y toes i godi a gwaeddodd ar i'r Diafol adael llonydd iddi!

Gadawodd ei gwaith yn y mynydd a mynd i ennill ei thamaid wrth drin plu. Câi wahoddiad i fwyta efo'r teulu fel y crwydrai o fferm i fferm ond yn y Fudrol, cartref Mr Webster, gwrthododd eistedd wrth y bwrdd i fwyta gwledd a osodwyd o'i blaen am iddi, meddai hi, weld Bwrdd yr Arglwydd wedi ei hulio ac wrth y bwrdd hwnnw y dymunai hi fwyta. Fe'i holwyd gan Mr Webster a oedd Duw wedi gwrando ar ei gweddïau drosto. Ateb parod Cadi oedd nad oeddent wedi'u hateb '... neu mi fasach wedi altro rywfaint bellach!'.

Tua 1800 cafodd waith fel morwyn i'r Parchedig John Elias a'i wraig yn eu siop yn Llanfechell. Cafodd ei cheryddu am ganu hwiangerdd i'r babi a cheisiodd John Elias ei darbwyllo y byddai emyn yn fwy addas ond ateb Cadi oedd na fyddai hi yn canu emyn i'r bychan ac na fyddai hi fyth yn canu clodydd ei Harglwydd i fab John Elias na neb arall.

Deil traddodiad i Cadi, ar achlysur arall, ar ôl bod yn yr oedfa, ofyn i Mr Elias, 'Ai am fy meiau i bu farw Iesu?' a bu hynny'n ddigon o ysbrydoliaeth i'r gweinidog gyfansoddi ei emyn enwocaf.

Pan oedd Cadi ar ei gwely angau, aeth John Elias i ymweld â hi yng nghwmni John Hughes, Tŷ'n Caeau. Cadwyd cof am yr ymweliad gan Percy Hughes, un o feirdd gwlad gorau Ynys Môn:

Sion Hughes a'i 'Haleliwia',
A John Elias fawr,
Yn danfon Cadi Rondol
Drwy borth y dwyfol wawr.

'Yma'ch hun ydach chi?' meddai John Elias.

'Na, nid fy hun,' meddai Cadi, 'mae O yma efo fi yn wastad.'

Bu farw a'i chladdu ddydd Mercher, 20 Chwefror 1828. Talwyd am yr angladd gan James Webster, y Fudrol, perchennog Gwaith Asid Sylffyrig Mynydd Parys. Roedd wedi cynnig hers i'w chludo i'r Llan ond gwrthod y cynnig a wnaeth Cadi am fod ganddi ddigon o frodyr (cyfeillion crefyddol) i'w chario. Nid oedd ei garedigrwydd yn ddigon i dalu am garreg fedd iddi chwaith ac fel ei chartref ar lethrau'r mynydd, mae ei man gorffwys olaf wedi mynd yn angof ond nid, diolch byth, ei henw.

O astudio manylion y Cyfrifiad dros gyfnod o hanner can mlynedd a mwy rhwng 1841 ac 1901, ceir llawer o fanylion eraill am wragedd y mynydd. Mae eu hoedran yn amrywio o 73 mlwydd oed – Modlan Jones o Ben-sarn (yr hynaf) hyd at Ellen Hughes, 11 mlwydd oed (yr ieuengaf) a oedd yn byw yn

Tŷ Popty. Dros y cyfnod hwn, roedd oedran y rhai a weithiai yn y mynydd yn amrywio:

yn eu 70au ac yn hŷn – 2
yn eu 60au – 3
yn eu 50au – 5
yn eu 40au – 7
yn eu 30au – 14
yn eu 20au – 25
yn eu harddegau – 31

Gwelir mai gwaith i ferched ifanc oedd torri'r cerrig felly, er mai'r argraff a geir wrth ddarllen hanes y mynydd yw mai merched mewn oed oedd y Copar Ladis yn gyffredinol. Ymysg yr hynaf, mae'n siŵr, oedd Abigail Nearney/Nurney a oedd yn 95 mlwydd oed adeg Cyfrifiad 1881. Roedd Abigail, yn enedigol o Iwerddon, yn byw yn Iard Mona efo'i merch Ann, 46 mlwydd oed a cheidwad yr iard. Bu farw'r fam yn 1885 a'i chladdu ym Mynwent Gyhoeddus Amlwch efo'i gŵr:

In affectionate Remembrance of JOHN NURNEY,
Who died February 1st 1875 Aged 78 years.
ALSO of ABIGAIL NURNEY, his wife, who died
October 16, 1885, Aged 101.

Ond roedd Ann yno o hyd yn ôl Cyfrifiad 1891 ac yn byw yn y Mona Mine Cottage efo Grace ac Elizabeth Hughes.

Roedd enwau'r Ladis, boed enw bedydd neu gyfenw, yn rhai cyffredin i'r ardal a dim ond rhyw geiniogwerth o rai cymharol ddieithr a geid:

Enwau bedydd (cyffredin):
Ann(e), Catherine, Elinor, Elizabeth, Grace, Hannah, Jane, Margaret, Mary

Enwau bedydd (anghyffredin):
Agnes, Erminia, Lettice, Lettitia, Modlan

Cyfenwau (cyffredin):

Davies, Edward(s), Ellis, Griffiths, Hughes, Jones, Lewis, Owen, Parry, Richard, Roberts, Rowland(s), Thomas, Williams

Cyfenwau (anghyffredin):
Matthews, Ross

Yr un mor ddiddorol yw enwau eu cartrefi gydag amrywiaeth eang ohonynt, megis Carreg Cwrnach, Cerrig y Bleiddia(u), Dyffryn Coch (yn disgrifio lliw y pridd a'r dŵr lleol), Hen Waith (adlais o'r gorffennol?), Llaethdy (cefndir amaethyddol?), Lletro(e)d, Llyn Coch (disgrifiad o liw y dŵr yn llifo o'r mynydd ac yn y Pyllau Paent), Maen Dryw, Rhwngc, Tavern Spite a Tŷ Popty. Sylwer hefyd fod nifer o'r enwau uchod yn dal i gael eu defnyddio heddiw. Er na sonnir am farics yn y mynydd, roedd ambell un yn byw ar y gweithle: Brimstone Yard, Mona Yard a Parys Mountain.

Manylyn diddorol arall sy'n tynnu sylw yng nghofnodion y Cyfrifiad yw'r amrywiaeth o enwau a oedd ar waith y merched: *Copper Breaker, Copper Dresser, Copper Ore Picker, Cutting Copper, Picking Copper in the Mine, Working in the Copper Mine*. Dim ond yng Nghyfrifiad 1851 y cyfeirir atynt fel Copper Lady, sef:

Mary Roberts, Llaethdy Bach, 46 mlwydd oed
Hannah Morris, Llandyfrydog, 40 mlwydd oed
Elizabeth Thomas, Carreg Cwrnach, 37 mlwydd oed
Ellen Jones, Cerrig y Bleiddia, 27 mlwydd oed
Ann Davies, Parys Mountain, 25 mlwydd oed
Catherine Edwards, Carreg Cwrnach, 20 mlwydd oed
Margaret Hughes, Pentragwian, 15 mlwydd oed

'Mwyn Wŷr' y Mynydd

Fel ym mhob cymdeithas o ddynion neu weithwyr, bydd rhai yn siŵr o amlygu eu hunain yn fwy nag eraill, gyda'u gorchestion a'u henwau'n cael eu cofio o genhedlaeth i genhedlaeth. Felly hefyd ymysg mwynwyr Mynydd Parys. Byddai rhestru pob un yn gamp aruthrol o gofio bod miloedd wedi pasio drwy'r gwaith. Enwyd dros bum cant yng Nghyfrifiad 1841 yn unig ac oes, mae ambell un o'r rheiny'n wybyddus i ni hyd heddiw ond rhaid bodloni ar enwi carfan fechan o weithlu enfawr yn y bennod hon. O edrych ar restr o'r fath, yr hyn sy'n tynnu sylw rhywun heddiw yw ambell gyfenw dieithr sy'n ysgogi gofyn y cwestiwn – o ble y daeth y cyfaill hwn yn wreiddiol? Tybed a oedd William Frazer, Fron Heulog, Rhos-y-bol; John a William Frazer, Twrllachiad, Llanwenllwyfo a John Frazer, Glan Gors, Llaneilian yn perthyn i Alexander Frazer (gweler tud. 28 a 68)? Tybed a oedd William ac Edward Allen, Ponc Taldrwst o'r un hil â Thomas Allen (gweler isod)? Beth ddigwyddodd i'r teulu Gibbon? Mae'r enw wedi diflannu'n llwyr o'r ardal erbyn hyn. Caed ambell i gyfenw arall digon diethr megis Chart sydd wedi goroesi ac mae rhai enwau tai a thyddynnod yn parhau, megis Virgin, Llanwenllwyfo; Cwna, Llanwenllwyfo a Grogan Goch, Amlwch. A welwyd bleiddiaid yng Ngherrig Bleiddia erioed? Pam yr enw Sgubor Ithal? Mae'n rhaid bod yr ansoddair 'coch' wedi cael ei ychwanegu i enw'r afon (afon Goch) a'r tyddyn (Glan'rafon Goch) cyn i'r gwaith ddod i fodolaeth. Pam yr oedd dros ddeg ar hugain o drigolion ardal Tredath, Amlwch yn ennill eu bara menyn fel mwynwyr yn y mynydd, a pham yr oedd cymaint yn byw mor agos at ei gilydd mewn ardal gymharol fechan a chlòs?

Thomas Allen
Claddwyd ym mynwent Eglwys Eilian, Llaneilian a dyma'i feddargraff:

Thomas Allen
a ddal-
Iwyd gan angau y
ngwaith mwyn RH
udd efudd Rhos
Monach 2ad o Ionawr 1839 yn 34 oed.

Cydwalad y Landiwr; Owan Dafis; Gruffydd Dafydd; Huw Dafydd

John Davies

'*Miner – Bakehouse St, Porth Amlwch,*' yr hwn a fu farw 12 Ionawr 1875 yn 51 mlwydd oed ac a gladdwyd ym mynwent Capel Salem, Amlwch.

Huw Edward, Cerrig y Bleiddia

Owen Edwards

'*Miner*' o Borth Amlwch, yr hwn a fu farw 19 Chwefror 1867 yn 68 mlwydd oed.

> Wel hunwch gaethion angeu,
>   Si yn dawel, dawel;
> Ym Mynwent Amlwch, Si, Si Si,
> Hyd fore cân yr angel.

Thomas Edwards (Yr Hwntw Mawr)

> Gwrandewch chwi bobl yn ystyriol,
> Peth rhyfeddol iawn a fu.
> Mwrdwr creulon mawr echryslon,
> Yn Sir Feirion felly a fu;
> Penrhyn deudraeth, syml ysywaeth
> Yw'r gymdogaeth halaeth hon,
> Am un Mary Jones, y leni,
> Gadd ei bradychu'n brudd ei bron.

Gyda geiriau o'r fath, ni fedrai'r baledwr lai na thynnu sylw cynulleidfa ac mae'n siŵr i'r uchod ddal sylw sawl un ym Meirion ac ym Môn, gan fod y digwyddiad yn cysylltu'r ddwy ardal.

Morwyn i John Roberts a'i deulu ar fferm Penrhyn Isaf, Minffordd ger Penrhyndeudraeth (neu Aber-iâ – ble mae'r pentref Eidalaidd atyniadol Portmeirion heddiw) oedd Mary, o Gaergraig, Llanfrothen. Roedd yn eneth ddeunaw oed brydferth ac wedi aros yn y gegin i wneud bara ceirch tra oedd pawb arall o'r tŷ yn y caeau yn cynaeafu'r ŷd. Ond ar brynhawn 7 Medi 1812 daeth ei hoes fer i ben. Fe'i llofruddiwyd gan Thomas Edwards a adnabyddid fel yr 'Hwntw Mawr'. Awgryma'r llysenw mai un o dde Cymru ydoedd ond mewn gwirionedd, o swydd Henffordd y tarddai ac efallai iddo ddysgu a siarad y Gymraeg mewn acen ddieithr i haeddu'i lysenw. Nid oes dwywaith iddo fod yn fawr. Mesurai chwe throedfedd a dwy fodfedd yn ôl y *Shrewsbury Chronicle* (18 Medi 1813) ac roedd yn ddyn eithriadol o gryf. Bu'n gweithio yng ngwaith copr Mynydd Parys am bedair mlynedd ar ddeg ac yno fe'i bedyddiwyd yn 'Frenin y Mynydd'. Pan oedd yn aelod o'r gweithlu a atgyweiriai'r Cob ym Mhorthmadog wedi i hwnnw gael ei ddifrodi mewn storm, daeth i wybod am deulu'r Penrhyn Isaf gan ddeall eu bod yn cael eu hystyried yn deulu cefnog. Ar 7 Medi 1812, gan gredu fod y lle yn wag, mentrodd i'r tŷ gan fwriadu dwyn faint bynnag o arian ac eiddo ag y gallai. Fodd bynnag, gwelodd Mary ef â'i law yn nrôr y dreser a chan ei bod yn llygad-dyst i'w anfadwaith, fe'i llofruddiodd:

Fe gymrai gyllell fawr a gwella*,
Ac a'i brathai dan ei bron,
Ar draws ei gwddw fe dorria'n groyw,
Fel y bu farw'r Lili lon;
Ac a'i sticciai yn amryw fannau
Ei chorph oedd ddryllau garw ddrych,
Cymmerwch 'siampl bawb yn ddyfal
Rhag ffyrdd y cythraul chwedl chwith.

(*gwellaif – *shears*)

Cuddiodd ei ysbail yn y gorlan; golchodd y gwaed oddi ar ei ddwylo yn y ffynnon a dianc am ei gartref yn Nhancastell. Darganfuwyd corff Mary gan nai i John Roberts a galwyd am yr awdurdodau.

Yn y cyfamser, roedd gwraig drws nesaf Edwards, yn ôl y *Chronicle*, mor ofnus fel y gofynnodd i'w chymdogion am lety dros nos! Roedd hi wedi sylwi ar y crafiadau ar ei ddwylo. Fore trannoeth, aeth Edwards i chwilio am ei ysbail ond cafodd ei weld ac er iddo geisio dianc drwy groesi afon Dwyryd yn Abergafran, cafodd ei ddal. Boddwyd ewythr i Mary yn yr afon yn ystod yr helynt. Ar ei ffordd i garchar Dolgellau, yng nghwmni chwe aelod o'r heddlu lleol, cwynodd fod ei rwymau'n rhy dynn. wedi'u llacio, llwyddodd i ddianc ac am dridiau bu'n cuddio yn y coed ym Mhenrhyndeudraeth. Cafodd ei ailarestio a'i gludo i Ddolgellau mewn trol. Cynhaliwyd yr achos llys yn y Bala a thalodd yr awdurdodau £6 2s 7d i John Humphreys, y gof, i sicrhau fod yr hualau'n berffaith ddiogel ac na allai Edwards ddianc.

Yr Hwntw Mawr oedd un o'r ddau olaf i gael eu crogi ym Meirion ar 17 Ebrill 1813. Claddwyd Mary ym mynwent Llanfrothen.

Wil Edward; Bob Ellis; John Ellis

John Evans
Saer. Ef fu'n gyfrifol am godi Capel Lletrod ym Mhen-sarn.

Thomas Evans
Fel '*Iron Founder*' y caiff ei ddisgrifio ar garreg fedd ei wraig ym mynwent Eglwys Eilian, Llaneilian.

William Evans
'*Smelter*' a fu farw 10 Mehefin 1849 yn 50 mlwydd oed. Cafodd ei gladdu ym mynwent Eglwys Sant Eleth, Amlwch.

Dic Fransus

Owen Griffith (1851 – 11 Awst 1899)
Gŵr o Ben-sarn. Awdur, bardd, blaenor, cerddor, codwr canu, henadur a masnachwr. Dechreuodd weithio yn y mynydd cyn ei fod yn naw oed am gyflog o rôt y dydd am ddeuddeng awr. Aeth i dŷ ei nain yn Llain Berson i chwilio am het i arbed ei ben yn y gwaith. Cafodd yr hen wraig afael ar het *sugar loaf* fawr a phe bai Owen wedi mynd ar ei liniau yn y siafft, byddai'r het yn siŵr o gael ei tharo i ffwrdd. Awgrym ei nain oedd iddo ofyn i Huw Gruffydd y Saer am fenthyg llif denwn 'i dynnu brath drwyddi'! Bu'n gweithio dan ddaear yn y siafftiau, yn oruchwyliwr, yn ysgrifennydd, yn brif ysgrifennydd ac yn arolygwr y *Smelting Works* cyn ymddiswyddo. Ef yw awdur *Mynydd Parys*. Fe'i claddwyd ym Mynwent Eglwys Llanwenllwyfo:

Anwylaf gôf
am OWEN GRIFFITH (Eos Eilian)
Railway Stores, Penysarn

yr hwn a fu farw Awst 10, 1899
yn 48 mlwydd oed.
Bu yn Ddiacon ffyddlon ac ymroddgar yn Eglwys
Bozrah M.C. am dymhor maith.

Blaenllaw ddifriniau flaenor – un gonest
Yn gweini yr allor
Ynad cu, enaid y côr
Ac angel doeth y cyngor.
Hwfa Môn

Rowland Griffith (1826 – 1865)
Fe'i claddwyd ym mynwent Eglwys Eilian, Llaneilian:

Er cof am
ROWLAND GRIFFITH
Smelter
yr hwn a fu farw Ebrill 1af
1865 yn 39ain mlwydd oed.

Owain Hughes, Cerrig Mân (1896 – 1985)
Un o weithwyr y Pyllau Heyrn.

Pan ddechreu'is i weithio yma yn y mynydd,
dwy ar bymtheg oed oeddwn i. Gweithio ar lefal 45 fathoms oeddwn i.
Fedrwn i ddim mynd i lawr ddim mwy.
Roedd y diwrnod yn dechra am 6 ac yn gorffan am 5,
felly oedd petha pan ddechreu'is i yma yn 1913.

Gweithio yn y Pylla' Heyrn oeddwn i, gweithio'r dŵr,
haearn sgrap a dŵr copar a phaent.
Fi oedd yn pwmpio'r dŵr i'r mynydd
Mi fyddwn yn mynd i mewn i'r hen weithfeydd lle doedd 'na ddim dŵr.
Efo peipia' dŵr mi fyddwn yn chwistrellu'r graig
er mwyn cryfhau'r dŵr copar.

O bylla' paent Pentrefelin oeddan nhw'n ca'l yr ocr, wyddoch chi.
Rydw i'n cofio'r gwaith paent yn Amlwch.
Yn 'i gofio fo'n sefyll, wyddoch chi, ar 'i draed
a chorn simdda' anferthol yna.

Pan oeddwn i yn mynd i lawr siafftydd efo'r dŵr
ar raffa' a wiars traed oeddwn i yn mynd,
o un ystol i'r llall,
ne' wiars traed fel oeddan nhw yn ca'l 'u galw.
Ar un amser, medda' fy Nain,
roedd 'na wyth gant o ddynion
yn gweithio dan ddaear,
wyth gant dan ddaear!

Dreifio'r injan fuo 'Nhad,
yn pwmpio dŵr i oeri'r injans,
ar hyd 'i oes.
Pwmpio dŵr oeddwn i drwy'r dydd,
ac yn wlyb doman wedi i mi fod lawr y lefal.

Pan oeddwn i yn igian oed, mi dorrodd y rhyfal allan,
Y Rhyfal Byd Cyntaf.
Gweithio'r garreg las
(blended ore yn Saesnag)
oeddan ni ar y pryd.
Fi oedd y 'fenga yno, hyd y gwn i.

Mi gafodd 'na ormod o hogia 'u gyrru i gwffio,
hogia o Lanfechall a Llaneilian.
I Ypres y gyrron nhw fi.

Wel, doedd 'na ddim byd pwysig iawn yn fa'ma, wyddoch chi,
dim byd ond cyfloga' gwael,
gwael ar y naw hefyd.

(Cyfieithiad o waith Gwyn Parry.)

Robert Hughes, Gaerwen
Certmon.

Bob Huws; Dic Huws; Owen Huws, 'Berach

Siôn Huws, Tŷ'n y Caeau (Siôn Huws yr Haleliwia)
Ymwelydd â Chadi Rondol pan oedd yr hen chwaer ar ei gwely angau.

Siôn Ifan, Cae Lôn; Lewis Ifas; Jac Tramp; Jeri Tŷ Main; Jimi bach

John Jones
'*Miner.*'

Richard Jones (1840 – 1896)
Un o weithwyr y mynydd a drodd at grefydd.

Styfn Jones
O Ben-sarn. Gŵr i Susanah. Roedd ganddynt dri o blant a weithiai yn y mynydd.

Wmffra Jones; Dafydd Jôs, Nebo

Owan Jôs, Tros yr Ardd (1840 – 1862)

Er cof am
OWEN JONES
Tros yr Ardd
yr hwn a ymadawodd
a'r fuchedd hon
trwy ddamwain yn
Mynydd Parys
Gorphenaf 31ain 1862
yn 22 mlwydd oed.

Owan Jôs
Hen lanc Cwt y Dwndwr a arferai fynd ar ei liniau yng nghanol llwch yr efail i weddïo, gyda'r Beibl yn ei law. Cynhaliwyd y cwrdd gweddi am 6 o'r gloch y bore neu rhwng 9 a 10 yr hwyr.

Risiart Jôs, Tŷ'n y Caeau; Robat Jôs

Thomas Jôs
'... clamp o ddyn mor braf, mor hunan hyderus a diofn, yn lleisiwr mor glochaidd ac yn siaradwr mor ddoniol ac amleiriog, yn ddigon gafaelgar i ddal ati i weddïo am hanner awr, ac mewn ufudd-dod yn ddigyffelyb.'

Robin Tan 'Rhald; Bob Lewis

Harri Lewis
Mab hynaf Robart Lewis.

Risiart Lewis
Tad Llew Llwyfo; yr Hen Bererin Llesg.

Robart Lewis, Tŷ Saeri; Lewis Rhosmanach; Laban

Joseph Lee
Disgrifiwyd Lee fel '*outwasher of brass*'. Efallai bod ei enw'n awgrymu nad oedd yn hanu o'r ardal ond ei fod, mwy na thebyg, yn gweithio ym Mynydd Parys. Ar 12 Ebrill 1816 fe'i cafwyd yn euog o ddwyn ceffyl o eiddo Edward Roberts, ffermwr o Lanelwy. Dedfrydwyd y gosb eithaf ond fe newidiodd y barnwr ei feddwl a'i ddedfrydu i gael ei drawsgludo am oes i Awstralia.

Lewis William Lewis (Llew Llwyfo) (31 Mawrth 1831 – 23 Mawrth 1901)
Yr enwocaf, efallai, o bawb a fu'n gweithio ym Mynydd Parys. Roedd yn ail o chwech o blant a'i gartref yn un o dai Stryd Tai Mwd, y Sarn:

Mae bwthyn glanwedd yn nythu
Dan gysgod hen ddraenen ddu,
Mae'i wyneb wedi'i wyngalchu
A'i ddodrefn yn gain ac yn gu.
Mae cof am ddyddiau fy mebyd
O fewn y bwthyn bach gwyn,
Fel gwlith ar grastir fy mywyd
Neu haul yn tywynnu ar fryn.

Ni chafodd fawr o addysg ar wahân i'r Ysgol Sul a'r gwerslyfr *Rhodd Mam.* Dechreuodd weithio pan oedd yn wyth oed. Fe'i dyrchafwyd i swydd â chyfrifoldeb (hwylio samplau) pan oedd yn un ar ddeg oed. Gadawodd y mynydd pan oedd yn bedair ar ddeg i'w brentisio fel brethynnwr ym Mangor ac yn ddiweddarach yng Nghaergybi. Yng Nghaergybi hefyd y priododd. Bu'n cadw siop ym Mhen-sarn ac ysgol yn Llanallgo, cyn symud i Laneilian yn 1852 a gweithio mewn stordy i Nicholas Treweek ym Mhorth Amlwch. Cafodd yrfa o amrywiol swyddi cyn mynd i Unol Daleithiau'r Amerig yn 1868 ar daith i ganu. Fe'i disgrifiwyd fel 'gŵr mwyaf amryddawn ei ganrif' gan David Gwenallt Jones, Aberystwyth ond ni fu bywyd yn hawdd iddo wedi dychwelyd i Gymru, gan iddo symud o le i le, o swydd i swydd a mynd ar ofyn hwn a'r llall am arian ac am gardod. Cofir amdano fel canwr, cerddor, cyfansoddwr, crwydrwr a chyfieithydd, er mai fel '*journalist and vocalist*' y'i disgrifiwyd ar dystysgrif cofnodi ei farwolaeth. Dioddefai o afiechyd a thra oedd yn aros efo'i fab yn 12 Stryd Greenfield, Millbank, y Rhyl bu'n orweiddiog am ddeufis cyn marw o asthma a'r fadredd (gangrin) ar 23 Mawrth 1901. Fe'i claddwyd yn Llanbeblig, Caernarfon.

Loli Lyias; William Michael

William Morgan
Smeltar ac arweinydd streic.

Owan Morus
Gof.

John Morris
'*Miner.*' Gŵr o Borth Amlwch, yr hwn a fu farw 15 Ionawr 1855 yn 65 mlwydd oed.

William Morris
'*Dresser of copper ores.*' Gŵr Jane, Tŷ Elizabeth Wen a thad William, y plentyn cyntaf i'w fedyddio yng Nghapel Mawr (Bethesda), Amlwch ar 28 Awst 1807 gan Thomas Charles o'r Bala.

Obadiah; Lyias Owan

David Owen (1794 – 1870)
Fe'i claddwyd ym mynwent Eglwys Eilian, Llaneilian:

Er cof am
DAVID OWEN
Smelter, Porth Amlwch
Yr hwn a fu farw Ebrill 6ed 1870
yn 76ain mlwydd oed
'Digonir fi pan ddihunwyf, a'th ddelw di.'

Owen Owens
Clerc ym Mynydd Parys a phregethwr.

Michal Parri, Donnan Las; William Parri

Ned Prisiart
Yfodd ddigon o gwrw i nofio 'maniwar' (*man of war* – llong ryfel)!

Rhisiart Prisiart, Plas Ffrwd
'Y difrif-ddwys.'

Wil Prisiart, Hen Felin

Wm Pritchard
Smeltar. Gwelir ei enw ar garreg fedd ei wraig, Mary, ym mynwent Eglwys Eilian, Llaneilian.

William Prisiart, Glan Llyn

David Pritchard
Tad y Parchedigion John Pritchard a Thomas Pritchard. Collodd ei olwg pan oedd yn ŵr cymharol ifanc ond llediodd ei achos i gael parhau i weithio yn y mynydd, er i Gapten Dyer fod yn erbyn hynny. Wedi ymbil arno, rhoddwyd

caniatâd iddo chwilio am fargen a gwnaeth hynny'n llwyddiannus am lawer blwyddyn arall.

Thomas Pritchard
Hen Graswr Eleth; awdur.

Rowland Puw
Yn ôl pob sôn, ef a wnaeth y darganfyddiad pwysig yng Ngherrig y Bleiddia yn 1768 (gweler y bennod 'Dechrau cloddio'). Bu farw 14 Awst 1786 a chafodd ei gladdu ym mynwent Eglwys Sant Eleth, Amlwch.

Dic Roberts, Ffatri; Gruffydd Roberts

Huw Roberts
Smeltar o Borth Amlwch.

John Roberts, Cerrig y Bleiddia
Bu farw 18 Rhagfyr 1871 yn 77 mlwydd oed. Fe'i claddwyd ym mynwent Capel Salem, Amlwch.

Siôn Roberts, Tŷ Mawr

William Roberts (19 Medi 1784 – 19 Gorffennaf 1864)
Roedd ei dad o'r un teulu â John Elias a'i fam o deulu'r Arglwydd Dinorben. Bu'n weinidog ar Gapel Mawr, Amlwch ond dechreuodd ei yrfa pan oedd yn ddeg oed drwy weithio yn y mynydd. Mab y 'Berach, Llaneilian ydoedd. Cyfaddefai ei fod yn hoff iawn o Noson Lawen pan oedd yn ifanc. Cafodd droedigaeth ar ei ffordd i Lanfoi, Llaneilian (cyn-gartref taid a nain yr awdur) a throes ei fryd at grefydd. Fel pregethwr fe'i disgrifiwyd, '... pan wedi ei danio gan wres ei bwnc ... fel ffrwydriad llosgfynydd neu ystorom o fellt a tharanau, nes arswydo ei wrandawyr ...'.

Huw Roland
'Tetrarch y Pyllau Paent' a 'Hen ŵr syth, llydan, tal, cryf, cyhyrog, gyda llais mawr ebychog, awdurdodol.'

Evan Rowlands

Ei enw barddol oedd Ynysog. Roedd yn briod ag Ellen Jane Jones (Telynores Cybi) ac yn fab-yng-nghyfraith i Owen Jones o deulu telynorion Britannia, Llannerch-y-medd. Ganed Evan yn Amlwch yn 1842 a bu'n gweithio ym Mynydd Parys cyn ymfudo i Galiffornia yn 1863 i chwilio am aur. Dychwelodd i Eisteddfod Genedlaethol Caernarfon yn 1877 a chyflwyno tlws aur fel gwobr am feddargraff i Alfardd y bardd. Ar ei ailymweliad ag UDA, priododd â Thelynores Cybi yn Sacramento ar 24 Mai 1879. Dychwelodd y ddau i Ros-goch yn 1882. Disgrifiwyd Ynysog fel un a oedd yn 'caru llenyddiaeth ... ac a ddaeth yn fardd tyner a thlws. Ni bu Cymro mwy gwladgwar na neb cryfach ei serch at yr Eisteddfod, na chyfaill cywirach a chynhesach ei galon ... '. Bu farw 10 Mawrth 1899 a'i gladdu ym mynwent Eglwys Rhosbeirio.

Ynysog, a'i hynawsedd – a giliodd
O'r golwg i'r dyfnfedd,
Gwron, dan feini'n gorwedd,
O afael byd yn fol y bedd.

J. W. Rhosgoch

Tom Bach

Sionyn y Jockey

Byddai'n crio am na allai ganmol digon ar ei gwrw.

Siôn Tomos

Gof.

Tomos y Mwg

Prif gynorthwywr y goruchwyliwr.

Risiart William, Lletroed; Siôn William, Y Gors; Benja Williams, Cerrig Mân; Dic Williams, Y Weun

John Williams

'*Miner*.' Bu farw yn 1850 yn 50 mlwydd oed. Fe'i claddwyd ym mynwent

Eglwys Sant Eleth, Amlwch.

Ned Williams

Owen Williams, Llaethdy Bach (1799 – 6 Ionawr 1867)
Certmon.

Er cof am
OWEN WILLIAMS
Llaethdy Bach, Amlwch
yr hwn a fu farw Ionawr 6ed 1867
yn 68ain mlwydd oed.

William Williams, Penrhyn

Arlunwyr, Awduron, Cartograffwyr ac Ymwelwyr

Arlunwyr ac Awduron

Yn ei anterth, roedd gwaith copr Mynydd Parys yn denu nifer o arlunwyr ac awduron a'u gwaith hwy, o'r oes ddigamera honno, sy'n dangos a disgrifio pa fath o le oedd yn y gwaith. Rhoddai'r golygfeydd a gaed yno gyfle gwych i gyfleu'r hyn a welent i gynulleidfa eang a thybed na fentrodd ambell arlunydd i'r Rholdy yn Nyffryn Adda i chwilio am baent neu ocr y mynydd er mwyn eu defnyddio ar eu canfas? Heb arlunwyr o'r fath, ni fyddai'r cyfnod hwn o newidiadau mawr a welwyd ym Môn wedi cael ei gofnodi o gwbl.

Ymysg un o'r darluniau mwyaf trawiadol mae llun John Warwick Smith o Iard Mona. Mae'n dangos yr iard a thu ôl iddi gaeau a ffriddoedd gwyrdd Ynys Môn a'r tu ôl i'r rheiny wedyn amlinelliad o fynyddoedd Eryri sy'n rhoi i'r gwaith rhyw apêl oesol, gan bontio'r gorffennol prysur a'r presennol. Yn yr un modd mae darlun arall gan Warington Wilkinson Smyth – a oedd yn ddaearegwr amlwg yn ei ddydd yn ogystal â bod yn arlunydd – yn dangos golygfa o'r '*Parys Mines*' na allai neb ond daearegwr ei baentio.

Yn anffodus, mae gwaith cofnodi yr ymwelwyr llengar bron yn uniaith Saesneg. Hwy oedd y dosbarth cymdeithasol a allai fforddio mentro taith i ardal wyllt gogledd Ynys Môn. Aeth D. Morgan Rees cyn belled â'u galw'n 'deithwyr proffesiynol' a'u bryd ar gyhoeddi llyfrau o'u teithiau. Heddiw, mae ein dyled i'r arlunwyr ac i'r ymwelwyr yn fawr a'u gwaith yn llawer mwy hirbarhaol na thâp fideo neu ddisg cyfrifiadur.

Dyma ambell un a fu'n ymweld â'r gwaith yng ngogledd Môn, gan gofnodi'r hyn a welsant ac a glywsant ac sy'n parhau i roi mwynhad i ni hyd heddiw:

John Bluck

Ysgythrwr arbennig o gywrain a fu'n arddangos ei waith yn yr Academi Frenhinol yn Llundain rhwng 1791 ac 1819. Roedd yn enwog am ei dirluniau morol, chwaraeol a phensaernïol. Cyhoeddwyd ei waith ran amlaf gan Rudolph Ackermann yn Llundain. Ymysg ei waith enwocaf mae ei ddarluniau o Buenos Aires a Montevideo; swydd Derby a Weymouth.

William Daniell (1769 – 1837)
Arlunydd ac ysgythrwr medrus tu hwnt. Fe'i ganed yn Kingston-upon-Thames, Surrey. Tafarnwr oedd ei dad, yn cadw tafarn *The Swan* yn Chertsey. Ar farwolaeth ei dad yn 1779 aeth Daniell i fyw at ei ewythr ac fe ddaeth yn ddisgybl iddo, gan fod ei ewythr yn arlunydd medrus ei hun. Aeth y ddau i deithio yn Tsieina ac India yn 1785 ond yn ystod eu taith, bu raid iddynt werthu peth o'u gwaith a'u heiddo er mwyn medru parhau. Ar ôl dychwelyd i Brydain yn 1794, ac yn 1819 hefyd, cyhoeddodd William lyfr am y daith. Rhwng 1814 ac 1825 bu'n crwydro arfordir Prydain yng nghwmni Richard Ayton. Cynhyrchodd dros 300 o luniau o'r daith mewn wyth cyfrol. Mae'n enwog am ei olygfeydd o ddociau India'r Gorllewin yn Llundain ac am ei ddarlun o Frwydr Trafalgar.

Louis Francois Franci (1772 – 1839)
Fe'i ganed yn Calais. Datblygodd yn un o arlunwyr gorau Ffrainc. Daeth ei waith i'r amlwg ar ôl ei deithiau i Brydain: 'Ynys Wyth – 1795-96'; 'Ardal y Llynnoedd – 1799'; 'Cymru – 1800' a 'Norfolk – 1802'

Moses Griffith (1769 – 1809)
Un o Fryncroes yng Ngwynedd. Deuai o gefndir tlawd ac roedd ei addysg gynnar yn brin ond dangosodd ddawn gyda phensil. Yn ddwy ar hugain oed aeth i weithio i Thomas Pennant a bu'n gyflogedig hyd farw Pennant yn 1798. Ymddangosodd ei waith yn llyfrau teithio Pennant. Wedi marwolaeth ei gyflogwr, aeth Moses Griffith i fyw i Gaergybi gan ennill ei fara menyn fel ysgythrwr. Fe'i cyflogwyd am gyfnod gan Francis Grose.

William Havell (1782 – 1857)
Mab i athro celf yn Ysgol Ramadeg Reading. Yn 1804 ailgartrefodd yn Llundain ac arddangoswyd ei waith yn yr Academi Frenhinol. Crwydrodd drwy Ardal y Llynnoedd am flwyddyn yn 1807 i baentio. Teithiodd drwy Loegr a Chymru hefyd. Derbyniodd swydd yn Peking yn 1816 ac oddi yno aeth i'r India i ddilyn gyrfa fel portreadwr. Dychwelodd i Loegr yn 1826 ond wedi dioddef o'r geri marwol aeth i'r Eidal. Ef oedd un o sefydlwyr y Gymdeithas Arlunwyr Dyfrlliw. Bu farw'n dlotyn yn Llundain ar 16 Rhagfyr 1857.

Julius Caesar Ibbetson (yr Hynaf) (29 Rhagfyr 1759 – 13 Hydref 1817)
Fel y tystia'i enw, fe'i ganed drwy enedigaeth Gesaraidd a hynny yn Leeds. Cafodd ei brentisio'n baentiwr llongau yn Hull. Symudodd i Lundain ac fe arddangoswyd ei waith yn yr Academi Frenhinol o 1785 ymlaen. Crwydrodd i Tsieina, Penrhyn Gobaith Da, Madeira a Java. Wedi dychwelyd i Lundain, yn dilyn marwolaeth ei gyflogwr, bu'n cynhyrchu tirluniau olew a dyfrlliw. Teithiodd drwy Gymru yn 1792 gyda John 'Warwick' Smith (gweler isod) a Robert Fulke Greville. Flwyddyn yn ddiweddarach yn 1793 cyhoeddodd y gyfrol o ysgythriadau *A Picturesque Guide.*

Syr Thomas Lawrence (13 Ebrill 1796 – 7 Ionawr 1830)
Fe'i ganed ym Mryste, yn fab dawnus i dafarnwr. Erbyn 1779, oherwydd methiant ei dad ym myd masnach, Thomas oedd prif gynhaliwr y teulu a phan sefydlodd y teulu yng Nghaerfaddon, gweithiai Thomas yn llawn amser fel portreadwr mewn creonau. Ar ôl ennill gwobr yn 1784, dechreuodd ddefnyddio olew. Aeth i fyw i Lundain yn 1787 ac yno, fe'i canmolwyd gan Syr Joshua Reynolds a'i wneud yn aelod o'r Academi Frenhinol. Cafodd ei benodi'n brif arlunydd Siôr y Trydydd. Er cystal ei waith fel arlunydd, yr oedd, fel ei dad o'i flaen, mewn trafferthion ariannol a bu'n rhaid iddo fenthyca mil o bunnoedd gan Arglwydd Seaforth, un o'i noddwyr.

Teithiodd i Ewrop yn 1818 a chael sylw mawr oherwydd ei waith graenus. Ar ddychwelyd i Loegr, fe'i dewiswyd yn llywydd yr Academi Frenhinol o 1820 hyd ei farwolaeth yn 1830. Ymysg ei weithiau gorau ac enwocaf mae portread o Marguerite, Iarlles Blessington; Dug Wellington ac un arall o Master Charles William Lambton.

Edward Pugh (1761 – 10 Mai 1813)
Manddarluniwr a thirluniwr a aned yn Rhuthun. Bu'n gweithio yn Llundain ac yng Nghaer. Ei waith enwocaf yw 'Cambria Depicta', sef cofnod o daith drwy ogledd Cymru sy'n cynnwys dros saith deg o ddarluniau. Gweithiai ar y gyfrol yn ystod wythnosau olaf ei fywyd ac fe'i cyhoeddwyd ar ôl ei farwolaeth yn 1816. Credir i'r gyfrol gymryd naw mlynedd i'w chwblhau ac fe'i hystyrir yn un o'r cyfrolau taith gorau i'w cyhoeddi parthed teithio yng ngogledd Cymru. Claddwyd yr arlunydd yn ei dref enedigol. Darlun enwog arall o'i waith yw'r un o Thomas Edwards (Twm o'r Nant.)

Thomas Rowlandson (Gorffennaf 1756 – 22 Ebrill 1827)
Ganed yn Llundain, yn fab i ŵr busnes llwyddiannus. Yn ôl pob sôn gallai dynnu llun cyn y gallai ysgrifennu. Bu'n fyfyriwr yn Eton ac yn yr Academi Frenhiniol a threuliodd ddwy flynedd mewn ysgol arlunio ym Mharis. Er iddo ennill ei fara menyn drwy lunio portreadau, collodd ei arian wrth ffawd-chwarae yn ofer. Crwydrodd Ewrop gan werthu lluniau o'r golygfeydd a welsai ar ei daith. Yn ddiweddarach bu'n cydweithio ag Augustus Pugin ar gyfrol am fywyd yn Llundain. Gwaith Pugin oedd darlunio'r adeiladau tra bod Rowlandson yn darlunio'r cymeriadau yn y lluniau.

Paul Sandby (1730 – 1809)
Un o sefydlwyr yr Academi Frenhinol. Arlunydd dyfrlliw dawnus. Dechreuodd weithio yn yr Alban yn y cyfnod yn dilyn Gwrthryfel 1745 pan oedd yn un ar bymtheg oed. Teithiodd i dde a gogledd Cymru gan roi golwg newydd i dirluniau. Roedd ei luniau ymhlith y printiadau cyntaf erioed i gael eu cynhyrchu ym Mhrydain.

John 'Warwick' Smith (1749 – 1831)
Fe'i ganed yn Irthington, nid nepell o Gaerliwelydd. Cofir amdano fel tirluniwr medrus dan nawdd Iarll Warwick. Mabwysiadodd enw'r iarll fel ei enw canol ei hun. Teithiodd i'r Eidal a thrwy Brydain a chyfrannu llawer o ysgythriadau i lyfrau megis *Select Views in Great Britain* (1812), *Views of the Lakes of Cumberland* (1791 – 1795), *Tour through Wales* (1794) ac *A Tour to Hafod* (1810). Yn 1805 fe'i derbyniwyd yn aelod o Gymdeithas y Dyfrlliw-wyr.

Warington Smythe (1817 – 1890)
Arolygydd Pyllau Glo a Gweithfeydd Mwyn (Inspector of Mines). Un o deulu o forwyr, er mai rhwyfo yn y Ras Gychod rhwng Prifysgol Caergrawnt a Phrifysgol Rhydychen oedd ei gamp fawr ef yn 1839. Derbyniodd ysgoloriaeth deithiol i astudio daeareg a gweithfeydd mwyn yn Ewrop, Asia, Syria a'r Aifft am bedair blynedd cyn dychwelyd i ddarlithio yn y Royal School of Mines. Roedd hefyd yn awdur o fri yn ei faes.

Cartograffwyr

Daw'r gair 'cartograffeg' o'r Groeg (*chartis* = map; *graphein* = ysgrifennu). Cartograffwr, felly, yw un sy'n ysgrifennu neu lunio mapiau. Daeth sawl cartograffwr i Fynydd Parys ac i Amlwch i astudio'r tirlun ac i lunio mapiau gweddol fanwl i'r perchenogion tir. Yn eu mysg roedd y cartograffwr di-enw a luniodd y map o gyfnod y Frenhines Elisabeth y Gyntaf sy'n dangos lleoliad y porthladd, y dref a'r gwaith copr ym Mynydd Parys. Eraill a fu'n llunio mapiau (a'u hansawdd yn gwella bob tro) oedd:

John Reynolds

Dengys map Reynolds a gyhoeddwyd yn 1764 fanylion y tir ar y mynydd a'u perchennog. Nodir arno hefyd leoliad '*Old Roman Workings*'. Mae safle'r mynydd rhwng y priffyrdd i Amlwch, Llannerch-y-medd a Llaneilian i'w weld yn amlwg. Gellir gweld y map yn Archifdy Penarlâg.

John Souther

Yn 1776 penodwyd Souther gan Thomas Williams i lunio map i ddangos ffiniau eiddo y ddau dirfeddiannwr mwyaf ar y mynydd, gan fod anghydfod cyfreithiol wedi codi rhyngddynt. Er i'r map nodi'n fanwl farciau tir, fe'u dinistriwyd yn ystod agor y Twll Mawr.

Hugh Hughes

Lluniodd fap, dyddiedig tua 1815, sydd bellach yn rhan o Archif Coleg Prifysgol Bangor. Dengys y Twll Mawr a'r Pyllau Paent yn ogystal â manylion eraill sy'n ymddangos yn narluniau William Havel (1802) i gadarnhau eu dilysrwydd. Mae'r map hwn hefyd yn nodi lleoliad '*Old Roman Shaft*'.

Mr Dawson

Gwnaed cynllun i ddangos safle'r gwaith gan y gŵr hwn yn 1818. Gofynnodd am ugain gini i gwblhau'r gwaith!

J. Brigs

Lluniodd fap i ddangos tiroedd Ardalydd Môn yn 1824. Dengys leoliad y 'cwt peiriant perl' a godwyd yn 1819.

Capten William Francis

Ar gais Steven Roose, lluniodd y Capten fap o'r mynydd yn 1828 gyda'r gobaith, unwaith eto, o allu dangos y ffiniau cywir.

John Brown

Un arall a luniodd fap o safle'r gwaith yn 1835. Ef hefyd a luniodd adroddiad am gyflwr y gwaith yn 1852.

Henry Dennis

Gŵr o Riwabon. Ar ei gynlluniau (dyddiedig 1859) dangosir nifer o siafftiau agored a'r rhai oedd wedi cau.

Richard Bridstow

Lluniwr un o'r mapiau olaf a wnaed cyn ymddangosiad cyfres yr Archwiliad Ordnans. Fe'i comisiynwyd gan berchenogion y *Mona Mine Co.* yn 1889.

Ymwelwyr

Arthur Aikin (19 Mai 1773 – 15 Ebrill 1854)

Cemegydd, mwnyddwr, teithiwr ac awdur gwyddonol a aned yn Warrington, swydd Gaerhirfryn. Trodd ei gefn ar grefydd yr Undodwyr a bu'n astudio cemeg wrth draed Joseph Priestly yn yr Academi yn Warrington gan arbenigo ym maes gwyddoniaeth ymarferol. Roedd yn un o sefydlwyr y Gymdeithas Ddaearegol yn Llundain yn 1807 ac yn ysgrifennydd y gymdeithas rhwng 1812 ac 1817. Cofnododd, yn fanwl, bob taith a wnaeth yn ystod ei fywyd. Cyhoeddodd *Journal of a Tour through North Wales and Part of Shropshire with Observations in Mineralogy and Other Branches of Natural History* yn 1797.

Richard Ayton (1786 – 1823)

Awdur, dramodydd a hwyliwr cychod hwyliau a fu'n gydymaith perffaith i William Daniell ar *A Voyage round Great Britain, undertaken in the Summer of the Year 1813*. Ayton oedd awdur y geiriau; Daniell oedd yr ysgythrwr. Bu farw Ayton yn fuan wedi cyhoeddi'r llyfr. Disgrifiodd Fynydd Parys fel a ganlyn:

> *On every part of its surface the hill is as bare as the public road. No*

kind of vegetation can live in this sulphureous atmosphere; not a weed, not a lichen on the rocks has been spared ... We were amazingly struck with the first view of the mine, which is truly an astonishing monument of human industry ... The mine has been worked like a stone quarry, and an immense crater has been formed nearly a mile in circumference; and in many parts, three hundred feet in depth. As we stood upon the verge of this tremendous chasm, it appeared to us like a mighty work of nature, produced by some great convulsion, but, certainly, suggested to our minds nothing so mean as the pick-axe and the spade. There were but few people at work, and their figures, disovered here and there among the huge rocks, looked merely as flies upon a wall, and one could scarcely imagine that, by these little creatures, each picking its little hole, the mountain had been thus demolished. The sides of the mine are mostly perpendicular, but the bottom is broken and irregular, and penetrated in various parts, by wide and deep hollows, in which veins of peculiar richness have been followed ...

Y Parchedig William Bingley (1774 – ?)
Ganed yn Doncaster a chafodd ei addysgu yn ysgol ramadeg y dref a Choleg Pedr, Caergrawnt. Yn 1814 cyhoeddodd ddwy gyfrol am ei deithiau drwy Gymru un mlynedd ar bymtheg ynghynt. Efallai mai Bingley oedd un o'r llygad-dystion cyntaf i'r gamp o neidio o Adda i Efa ar ben Mynydd Tryfan yn 1801 ac a gwblhawyd gan ei gyfaill a'i gyd-deithiwr, y Parchedig Peter Williams.

Matthew Boulton (3 Medi 1728 – 17 Awst 1809)
Ar ôl marwolaeth ei dad, prynodd y mab ddarn o dir diffaith yn Soho, swydd Stafford a chodi bathdy arian arno. Sefydlodd bartneriaeth â James Watt yn 1773 i ddatblygu a gwerthu peiriannau stêm o ddyfais Watt ei hun. Roedd y mwyafrif o'r peiriannau yn cael eu gwerthu i weithfeydd glo i godi dŵr o'r pyllau. Gan eu bod bedair gwaith cyn gryfed â pheiriant stêm a gynlluniwyd gan Thomas Newcomen, roedd y gwerthiant yn dda. Daeth peiriannau stêm *Boulton & Watt* yn boblogaidd iawn ac fe'u haddaswyd ar gyfer gwahanol fathau o waith mewn pyllau a ffatrïoedd. Yn 1786 defnyddiodd Boulton beiriant stêm wrth fathu darnau arian ar gyfer llywodraeth Prydain a sawl gwlad arall. Ef fu'n gyfrifol am gynhyrchu rhai o'r ceiniogau a dimeiau Pen

Derwydd i Thomas Williams a'i gwmni. Roedd yn aelod blaenllaw o Gymdeithas Lunar Birmingham; rhai o'r aelodau eraill oedd Watt, Erasmus Darwin, Josiah Wedgwood a Joseph Priestley. Unwaith y mis, ar leuad llawn, byddai'r gymdeithas yn cyfarfod i drafod materion amaethyddol, diwydiannol, gwyddonol a.y.b.

Daeth ar ymweliad ag Amlwch yn 1787 a threulio tridiau yno yn astudio'r gwaith copr. Roedd wedi rhyfeddu: *'Anglesey Copper Mine ... is a tremendous mine for a Cornish miner to behold ...'*

Erasmus Darwin (1731 – 1802)
Fe'i ganed yn Elston ger Nottingham. Wedi cyfnod ym Mhrifysgol Caergrawnt, symudodd i Brifysgol Caeredin yn 1753 i gael ei hyfforddi'n feddyg. Bu'n byw ac yn gweithio fel meddyg yn Lichfield. Un o'i feibion oedd Robert Waring – tad yr enwog Charles Darwin. Roedd yn eang ei ddiddordebau, gan gynnwys botaneg, gwyddoniaeth, salwch meddwl, technoleg camlesi a.y.b. Gwrthododd swydd fel meddyg personol i'r brenin Siôr y Trydydd er mwyn canolbwyntio ar ei deulu a'i waith.

Michael Faraday (1791 – 1867)
Mab yr efail o Newington Butts yn Surrey. Cafodd ei brentisio'n rhwymwr llyfrau ac yn ei amser hamdden darllenai'n frwd. Oherwydd ei ddiddordeb mewn gwyddoniaeth, cafodd ei gyflogi gan Humphrey Davy yn 1813. Fe'i penodwyd yn athro gwyddoniaeth y Sefydliad Brenhinol yn 1827. Bu'n arbrofi llawer ym myd trydan a meysydd eraill ond gwrthododd roi cymorth gwyddonol i'r llywodraeth yn 1853 i ddatblygu nwy gwenwynig i'w ddefnyddio yn ystod Rhyfel y Crimea.

Robert Fulke Greville
Noddwr i arlunwyr. Teithiodd gyda William Havell i ogledd Cymru.

John Stevens Henslow (1796 – 1861)
Cynghorwr Charles Darwin. Cyhoeddodd draethawd ar ddaeareg Môn yn 1822. Person plwyf arbennig o alluog ond a gofir yn bennaf am ei waith academaidd ym Mhrifysgol Caergrawnt ac am ei gysylltiad a'i gyfeillgarwch â Charles Drawin. Ar ôl dwy daith i Ynys Manaw ac Ynys Wyth i astudio'u daeareg, cafodd ei benodi'n athro mineraleg ym Mhrifysgol Caergrawnt.

Pan oedd Charles Darwin i fod yn astudio diwinyddiaeth yng Ngholeg Iesu, dechreuodd fynychu dosbarthiadau Henslow ar nos Wener ac o ganlyniad, newidiodd Darwin gwrs ei fywyd. Bu'r ddau yn gyfeillion oes a Henslow, wedi iddo wrthod y swydd ei hun, a awgrymodd enw Darwin fel naturiaethwr ar fwrdd y llong *Beagle* ar ei mordaith o amgylch y byd.

Meddai Darwin amdano, '*I fully believe a better man never walked this earth.*'

Augustin Gottfried Ludwig Lentin (1764 – 1823)
Almaenwr a oedd yn academydd, darlithydd prifysgol (Prifysgol Georg Augustus), gwyddonydd, hyfforddwr (Prifysgol Göttingen) ac awdur nifer o weithiau gwyddonol am waith metal yn gyffredinol. Treuliodd chwe mlynedd yng Nghymru. Ysgrifennodd gyfres o lythyrau yn disgrifio Môn, Mynydd Parys a'r gwaith copr yn ei gyfanrwydd.

Thomas Pennant (14 Mehefin 1726 – 16 Rhagfyr 1798)
Un o 'wŷr mawr' gogledd Cymru. Ef oedd sgweiar Downing ym mhlwyf Chwitffordd ger Treffynnon. Cofnododd hanes y plwyf a hanes Treffynnon a'i gyhoeddi. Fe'i ganed yn Nhre Eden Owain yn 1726, yr hynaf o bedwar o blant. Cafodd ei addysgu yn Ysgol Ramadeg Wrecsam ac yn Fulham. Yn 1744 aeth yn fyfyriwr i Goleg y Frenhines yn Rhydychen. Oddi yno aeth i Goleg Oriel ond ni ddyfarnwyd gradd iddo. Er iddo fod â diddordebau eang iawn, cofir amdano'n bennaf fel teithiwr ac am ei lyfrau sy'n cofnodi'r teithiau hynny. Yr oedd, hefyd, yn naturiaethwr a swolegydd. Cafodd ei ethol yn aelod o Gymdeithas Frenhinol Wyddonol Sweden ar gais Linnaeus ei hun yn 1757.

Crwydrodd ororau Cymru, Eryri ac Iwerddon i chwilio am ffosiliau sydd, erbyn hyn, yn rhan o gasgliad yr Amgueddfa Brydeinig. Cyhoeddodd lawer o draethodau a llyfrau ac roedd ei gyhoeddiad cyntaf yn ymwneud ag arbrofion a wnaeth â gwahanol fwynau mewn ffwrnais a adeiladodd yn Nowning. Yn ystod ei deithiau, ei gydymaith oedd yr arlunydd Moses Griffith. Cyhoeddwyd tair cyfrol am ei daith drwy Gymru, *Tours of Wales*.

Bu'n briod ddwywaith ac roedd yn dad i bedwar o blant. Roedd yn sgweiar ac yn ustus heddwch cydwybodol a dylanwadol iawn yn ei gyfnod ac yn ei ardal. Codwyd cofeb iddo yn Eglwys y Plwyf, Chwitffordd.

Robert Roberts, Y Sgolor Mawr (1834 – 1885)
Clerigwr ac ysgolhaig a aned 12 Tachwedd 1834. Ei rieni oedd Owen a Mary Roberts, Hafod Bach, Llanddewi, Llangernyw, sir Ddinbych. Dim ond dwy flynedd o addysg ffurfiol a dderbyniodd yn y Bala a dwy flynedd arall gyda thiwtor preifat ym Môn rhwng 1847 ac 1849 cyn derbyn cyfnod o hyfforddiant yng ngholeg Caernarfon. Bu'n athro trwyddedig yng Nghastell Caereinion a Llanllechid (1853), Amlwch a Rhuthun (1855). Yn Amlwch fe'i syfrdanwyd gan '*... a crowd of boys such as I never saw except in a gutter, half of them had no shoes or stockings, most of them had evidently not been washed for some days past, and all were unruly as wild colts*'.

Gadawodd ei swydd fel athro a mynd i hyfforddi ar gyfer yr offeiriadaeth yng Ngholeg Sant Bees ym mis Awst 1857. Cafodd ei ordeinio'n ddiacon Cwm ger Rhuddlan yn 1859 ac yn gurad y Bala a Rhug ger Corwen. Yn 1861 ymfudodd i Awstralia ac yno fe ysgrifennodd ei hunangofiant. Dychwelodd i Gymru yn 1875 i weithio fel athro yn y Betws ger Abergele. Treuliodd lawer o'i amser yn llunio geiriaduron. Bu farw 15 Ebrill 1885 ac fe'i claddwyd yn Llangernyw.

John Skinner (1772 – 1839)
Person plwyf, hanesydd ac archaeolegwr. Bu'n berson plwyf Camerton, Gwlad yr Haf rhwng 1800 ac 1839. Teithiodd sawl gwaith i Guernsey a gogledd Cymru. Er iddo fod wedi difa'i hun, fe'i claddwyd mewn tir cysegredig yn Camerton. Cyhoeddwyd ei waith ar ôl ei farwolaeth a chedwir y gwreiddiol yn yr Amgueddfa Brydeinig. Roedd yn Amlwch ddydd Iau, 9 Rhagfyr 1802.

David Thomas (Dafydd Ddu Eryri) (Ebrill 1760 – 30 Mawrth 1822)
Fel Augustin Lentin, bu'n gweithio yn Amlwch am flynyddoedd ond ni chredir i'w amser yno fod yn hapus. Roedd yn fab i Thomas a Mary Griffiths, Penybont, Waunfawr ac er mai dim ond 8 mis o addysg ffurfiol gan gurad Llanberis a gafodd, roedd yn alluog a dysgedig tu hwnt. Yn hyddysg yn yr iaith Saesneg, Groeg, Lladin a Hebraeg, meistrolodd hefyd fesurau barddoniaeth gaeth y Gymraeg. Fe'i prentisiwyd yn wehydd ond gadawodd y grefft i agor ysgol ar 14 Gorffennaf 1787 yn Llanddeiniolen. Bu'n ysgolfeistr ym Mhentraeth a thra oedd yno, cyfansoddodd eiriau'r gân 'Tirwm Tatrwm' sy'n crybwyll 'bryniau a phantiau Pentraeth'. Ym mlynyddoedd olaf ei fywyd,

bu'n byw yn Fron Olau, Llanrug ac wrth ddychwelyd o Fangor yn nhywyllwch nos, syrthiodd i Afon Cegin a boddi. Fe'i claddwyd yn Llanrug.

Ysgrifennwyd sawl ysgrif goffa iddo ond prin y cyfeiria'r un ohonynt at ei gyfnod yn Amlwch. Bu yno o 1795 hyd at 1799 fel mesurwr glo ond ni wnaeth y dref argraff ffafriol arno o gwbl:

Nid oes im' einioes ym Mona, – Ow! Myglyd
    Yw fy maglog drigfa;
Gwell i Ddafydd bob dydd da,
Lwyddfawr awel y Wyddfa.

Cyfansoddodd bum englyn arall yn cwyno am ei le. Cwynodd nad oedd yn gallu cyfansoddi yno, er iddo dderbyn cyflenwad o lyfrau o Lundain, wedi'u cludo yr holl ffordd ar long i Amlwch: 'Yr wyf agos wedi gollwng yn anghof y rhen gelfyddyd, oherwydd nad oes neb i hogi dim ar y ddawn.' Nid oedd yn bwriadu aros yno funud fwy nag oedd raid:

Y mynydd, ni ddymunwn – i'w oror
    Aros braidd un dwthwn ...

Tra oedd yn Amlwch, bu'n cynorthwyo'r Parchedig Walter Davies (Gwallter Mechain) i lunio adroddiad i'r llywodraeth ar gyflwr amaethyddiaeth yn y wlad.

Charles Blacker Vignoles (31 Mai 1793 – 17 Tachwedd 1875)
Gwyddel a pheiriannydd rheilffyrdd a fu'n aros gyda James Treweek ym Mona Lodge am ddeng niwrnod yn 1828. Diben ei ymweliad ag Amlwch oedd i ymchwilio safle'r gwaith ar y mynydd. Canlyniad ei ymweliad oedd awgrym y dylid adeiladu rheilffordd i gysylltu'r mynydd â'r porthladd. Y gost fyddai £6,350 + £1,000 y flwyddyn ar gyfer cynnal a chadw. Roedd y fenter yn rhy gostus.

Morris Williams (Nicander) (23 Awst 1809 – 3 Ionawr 1874)
Ei gartref oedd Coed Cae Bach, Llangybi a chafodd ei addysg gynnar yn ysgol Llanystumdwy. Fe'i prentisiwyd yn saer coed ond drwy garedigrwydd beirdd lleol, cafodd fynychu Ysgol y Brenin, Caer. Yn ddiweddarach graddiodd o

Goleg Iesu, Rhydychen ac yn 1834 cafodd ei urddo'n offeiriad. Bu'n gwasanaethu fel curad ym mhlwyfi Treffynnon (pan oedd yno bu'n gyfrifol am addasu'r *Llyfr Gweddi Gyffredin* i'r Gymraeg), Bangor a Phentir, Llanllechid ac Amlwch a Llanwenllwyfo (1846 – 1860) cyn ei benodi'n rheithor Llanrhuddlad, Llanfflewin a Llanrhwydrus. Ni chafodd amser wrth ei fodd yn Amlwch ac roedd ei farn am drigolion y dref yn dra sarhaus: 'Clywsoch y llysenw "Moch Môn". Nid llysenw mono ddim. Nis gallai Adda ei hun wrth enwi'r anifeiliaid ddim rhoi addasach enw arnynt ... '

Yn ôl manylion cyfrifiad 1851, roedd yn byw ym Millbank, Amlwch efo Anne ei wraig (39 oed, yn enedigol o Ddinbych) a'i blant: Sarah Ellen (9 oed), Morris Price (8 oed), Edward Wynne (6 oed), Fanny Mary (5 oed), Anna Jane (4 oed) ac Emma Grace (2 oed), yn ogystal ag Owen Jones (16 oed) o Gricieth, dwy forwyn – Jane Pierce (23 oed) ac Anne Griffith (18 oed), a William Roberts (14 oed) a oedd yn gyfrifol am y stablau. Erbyn 1861 roedd y pedwar plentyn hynaf wedi gadael cartref a William Glyn – a ddaeth yn ddiweddarach yn bennaeth Ysgol Friars, Bangor – (9 oed), Harriet Ann (7 oed) yn ychwanegiadau i deulu Rheithordy Llanrhuddlad. Hugh (18 oed), Elizabeth (32 oed) a Margaret Jones (25 oed) oedd y gwas a'r morynion. Yn 1871 roedd y teulu yn cynnwys Sarah Ellen, Edward Wynne (22 oed) yn ddi-waith, Emma Grace a Harriet Anne. Yn gwasanaethu arnynt roedd Margaret a Mary Williams.

Roedd Nicander, hefyd, yn ysgolhaig clasurol, bardd (enillydd cenedlaethol sawl gwaith), emynydd (ail i Williams Pantycelyn o ran nifer ei emynau yn *Emynau'r Eglwys*) a chyfieithydd (cyfieithodd Chwedlau Aesop i'r Gymraeg). Bu farw yn 1874 a'i gladdu ym mynwent eglwys Llanrhuddlad. Codwyd pulpud coffa iddo yng Nghadeirlan Bangor.

Rhydd le fel bardd oleuad
Iddo 'mhlith beirdd mwya'i wlad ...
Gwilym Eryri

William Withering (1741 – 1799)
Daearegwr a ddarganfu sylffwr plwm yn y mynydd yn 1783. Fe'i ganed yn Wellington, swydd Amwythig yn fab i lawfeddyg. Dilynodd ei dad i'r proffesiwn a hyfforddi i fod yn feddyg ym Mhrifysgol Caeredin rhwng 1762 ac 1765. Yn 1775 cafodd ei benodi'n feddyg i Matthew Boulton a gweithiodd

fel meddyg teulu ym Mirmingham. Yn ddiweddarach bu'n Brif Feddyg Ysbyty Gyffredinol Birmingham am dair mlynedd ar ddeg. Roedd yn ŵr eang ei ddiddodebau, gan gynnwys gwyddoniaeth a'r celfyddydau ond cofir amdano'n bennaf am ei waith ymchwil i rinweddau meddygol bysedd y cŵn a'u heffaith ar glefyd y galon. Cafodd ei dderbyn yn aelod o'r Gymdeithas Frenhinol yn sgil ei waith a'i astudiaeth ym maes mwynau. Ef hefyd a ddarganfu, yn 1792, mai gwraidd caws lyffant sy'n gyfrifol am 'gylchoedd tylwyth teg'.

Y Tylwyth Teg ac Ymwelwyr Arallfydol Eraill

Yng nghofiant John Williams, Brynsiencyn disgrifir ardal Mynydd Parys fel ardal yn llawn 'traddodiadau ac ofergoelion lu ... a hanesion brawychus na allent lai na gadael eu hôl ar blentyn'. Clywodd John Williams bethau na chymerai'r byd am eu hailadrodd.

Un arall a wyddai am bethau tebyg oedd John Skinner a glywodd straeon bwganod pan oedd ar ymweliad ag Amlwch yn 1802. Roedd gan Skinner a'i gwmni lanc ifanc i'w harwain o amgylch yr ardal ac wrth ddychwelyd i'r dref un gyda'r nos, sylwodd pawb fod eu tywysydd wedi tawelu wrth iddynt gyrraedd at ddarn o wal tua hanner milltir o'r Llan (Amlwch). Wedi ei holi beth oedd yn bod, eglurodd fod bwgan yn eistedd ar y wal a bod y bwgan i'w weld yn yr un fan bob nos. Nid oedd y llanc ifanc wedi ei weld ond roedd yn amlwg yn ofnus wrth fynd heibio a bod llawer iawn o'i gyfeillion yn gyfarwydd â'r hen wraig a eisteddai ar y mur. Unwaith, ceisiodd dynnu gwraig i ffermwr lleol oddi ar ei cheffyl wrth i honno farchogaeth heibio. Diolch byth fod rhywun gyda'r wraig i'w hachub o grafangau'r bwgan. Roedd ganddo stori arall am un o arferion Noswyl Nadolig trigolion Amlwch. Byddent yn mynd at y wal i weld sawl golau bychan (cannwyll corff?) a welent. Byddai'r nifer a welid yn cyfateb i nifer y marwolaethau a fyddai'n digwydd yn y plwyf yn ystod y flwyddyn ddilynol. Byddai fy nain yn sôn am ei thad a'i thaid yn gweithio yn y mynydd ac yn taeru'r du yn wyn fod y fath beth â channwyll corff â'i fflam wyrddlas i'w gweld uwchben yr union fan y byddai rhywun yn marw. Hyd yn ddiweddar iawn, roedd sawl un o hen drigolion Amlwch a'r ardal gyfagos yn llwyr gredu yng ngwirionedd yr hanes.

Fodd bynnag, wrth weithio ym Mynydd Parys byddai'r bechgyn lleol yn siŵr o aeddfedu'n gyflym ac oni bai eu bod yn berffaith sicr o'r hyn a welsant, prin y byddai criw ohonynt wedi mentro sôn am rywbeth mor ferchetaidd a phlentynnaidd â'r tylwyth teg! Taerai criw o fechgyn iddynt weld un o'r tylwyth teg wrth chwilio am garreg las ar y Domen Fawr. Roeddent yn bendant iawn am yr hyn a welsant ac mae eu disgrifiad o'r gŵr bychan yn dal i daro deuddeg hyd heddiw. Ar ei ben roedd het silc; ei grys efo '*stick up collar*' a gwasgod wen. Dros y cyfan roedd ganddo '*swallow tail coat*' a chlôs pen-glin. Am ei draed gwisgai bâr o wintasau (esgidiau uchel) topia' cochion ac roedd ganddo ffon a bagl arian yn ei law. Mae'n amlwg ei fod yn gyfarwydd â'r mynydd gan ei fod yn 'sodlio yn hamddenol a mawrfrydig ... rhwng y mân domenau'. Efallai mai gwres y dydd oedd wedi mynd i bennau'r bechgyn ac iddynt fod wedi dychmygu'r cyfan – wedi'r cyfan, roedd hi'n ddiwrnod eithriadol o boeth – ond eto i gyd, daeth lwc i'w rhan, fel ag a ddeuai'n aml yn sgil ymddangosiad un o'r tylwyth teg. Do, darganfu'r bechgyn lawer o'r hyn yr oeddent yn chwilio amdano.

Mae'n rhaid bod sôn am fwganod ac ysbrydion yn rhywbeth cyfarwydd i weithwyr y mynydd ac i'r hanesion hynny ddod yn rhan o chwedloniaeth yr ardal, cymaint felly nes i un awdur wau stori fwgan i'w waith:

> 'Beth sydd gen ti yn y sach yna, Twm?' gofynnai Dafydd.
> 'Ysgyfarnog â chynffon hir ganddi,' atebai Twm ...
> ... Heb ymdroi, tyn Twm ei lantern ef i lawr, egyr y sach a thyn yr ysgyfarnog allan. Er syndod i'r bechgyn, y mae'n dal pen rhywbeth tebyg i linyn yn fflam y gannwyll ac ymhen ychydig eiliadau y mae hwnnw'n dechrau chwythu tân fel pe bai'n sarff danllyd ...

Gwelwyd fod y 'bwgan' yn llwyddiant a bu'n gyfrwng i ddal 'smyglwyr. (Daw'r stori uchod o *Helynt Coed y Gell* gan G. Wynne Griffith.)

Ar y ffordd i'r gwaith, byddai raid i lawer o'r gweithwyr fynd drwy fuarth fferm Trysglwyn Fawr a dyna i chi le i godi arswyd ar bobl! Cofia Mrs Beryl Williams, Cefn Pali, Rhos-y-bol fynd i'r Trysglwyn i weithio fel morwyn fach a'r rhybudd cyntaf a gafodd oedd iddi beidio cyffroi pe bai'n digwydd gweld haid o farchogion di-ben yn rhuthro heibio yn y tywyllwch! Ond er iddi gerdded y ffordd o'i chartref yn Nhan 'Rallt i'r Trysglwyn bob awr o'r dydd a'r nos, ni welodd hi ddim i godi ofn arni chwaith! Mae Mrs Williams yn cofio stori arall am ysbrydion y nos yn arwain rhywun tuag at guddfan yn y cae lle'r oedd cist o aur ac arian wedi ei chuddio. Ni welodd hi ddim o'r cyfoeth hwnnw a chyflog digon tlawd oedd cyflog morwyn fach yn ei thymor yno. Byddai llawer o weithwyr y mynydd yn taeru iddynt weld ysbrydion y Tair Ladi a gŵr bonheddig yn gwisgo het dair cornel yn cadw cwmni iddynt wrth fynd ar hyd y ffordd.

Roedd bwgan arall yn Nhrysglwyn a hwnnw'n un ffiaidd, yn aflonyddu ar anifeiliaid ac ar bobl. Fe'i gwelid, yn oriau'r gwyll, yn marchogaeth ei geffyl drwy'r buarth i mewn i'r beudai a'r stablau. Byddai hyn yn cael drwg effaith ar yr anifeiliaid a byddent yn brefu a gweryru drwy'r nos. Erbyn y bore byddent wedi ymlâdd ac yn llonydd yn eu lle.

Bwgan arall y byddai sawl un yn fodlon taeru iddynt ei weld fwy nag unwaith yng nghwr y mynydd oedd yr Hwntw Mawr. Yn ôl pob sôn, roedd i'w weld yn hedfan drwy'r awyr dros y mynydd a thref Amlwch. Yna, byddai'n troi ar ei sawdl i gyfeiriad Mynydd Eilian, Eglwys Llanwenllwyfo ac Ynys Dulas gan wneud sŵn digon i godi gwallt pen y sawl a'i clywai. Roedd hon yn stori mor fyw nes bod ambell blentyn mwy diniwed na'i gilydd yn dal i gredu ym modolaeth yr Hwntw Mawr ym mhumdegau a chwedegau'r ganrif ddiwethaf ond efallai mai dawn dychymyg G. Wynne Griffith a dylanwad llyfr *Helynt Coed y Gell* oedd bennaf gyfrifiol am hynny!

Cafodd Lewis Rhosmanach brofiad digon annymunol, un a fyddai wedi dychryn unrhyw un a dweud y gwir. Ar ei ffordd adref o'i waith yr oedd Lewis, yn oriau mân y bore, pan aeth heibio i'r Vudrol (*Vitriol*). Mae'n siŵr ei fod yn gwybod am hanes Bwgan y Vudrol ond feddyliodd o erioed y byddai'n cyfarfod â'r 'bwgan'. Cerddai Lewis â'i becyn offer ar ei gefn, pan neidiodd rhyw greadur ar ei ysgwyddau ac eistedd yno 'fel lord'. Teimlodd Lewis rywbeth blewog cynnes yn rhwbio'i wddf ac yn stwffio rhwng ei glust a chantal ei het. Dechreuodd redeg am ei fywyd ond baglodd a syrthio dros ochr pompren wrth ymyl ffynnon y gors. Brasgamodd drwy'r afon a thra oedd o'n ei gwadnu hi am adref roedd y 'bwgan' yn ei gwneud hi'n ôl am ei gartref yntau. Un o fwncïod mab y Vudrol oedd y 'bwgan', wedi profi rhyddid am ychydig funudau! Bu llawer un 'ar gefn 'i gythraul' ond dim ond Lewis, a neb arall, a gafodd y pleser o gael mwnci 'ar gefn 'i 'sgwydda'!

Clywodd Edwin Cockshutt, gŵr na fyddai'n gwamalu yn aml, fod y fath beth â Bwgan Carreg Doll a Bwgan Siafft Charlotte yn y mynydd ond roedd hefyd yn credu mai stori a grewyd i gadw pobl draw o'r safle oedd honno, yn hytrach na bodolaeth rhyw bresenoldeb arallfydol, am fod yno obaith da o wneud cyflog sylweddol.

Mae stori arall am un yn gweithio yn y mynydd yn gymharol ddiweddar a'i lamp wedi diffodd. Yn y tywyllwch dudew fe glywai bob mathau o synau. Mae'n eithaf posibl mai diferion dŵr neu lifeiriant dŵr oedd yn creu'r synau a'u bod yn chwyddo acwsteg y gwagleoedd tanddaearol, unig.

Nid yn aml y bydd rhywun yn gallu adnabod bwgan ond mae sawl un – ddoe a heddiw – yn grediniol iddynt weld Cadi Rondol yn dal i grwydro'r mynydd. Hi, o bob un o'r Copar Ladis, oedd yr un fwyaf debygol o ddod yn ôl i aflonyddu ar y trigolion lleol. Fe'i gwelwyd gyntaf bythefnos union ar ôl ei hangladd gan ddau o weithwyr y mynydd a sawl un arall wedi hynny. Hawdd yw ei hadnabod gan ei bod yn gwisgo sgert drwchus, barclod a phâr o esgidiau am ei thraed i lusgo'i ffordd dros y mynydd. Bellach, a hithau wedi mynd bron yn angof yn lleol, mae llawer un wedi gweld ei llewyrch ond heb fod yn hollol siŵr pwy na beth ydoedd.

Roedd yn gred gyffredinol fod bodau arallfydol yn byw yn y siafftiau a bron na ellid dweud fod pob gwlad lle cloddiwyd cerrig neu fwyn o'r ddaear â straeon tebyg. I fwynwyr Cernyw roeddent yn fyw iawn a'r enw a roddwyd arnynt yno oedd Cnociwyr (*Knockers*). Digon naturiol oedd hi i feibion Cernyw fod wedi dod â'r hanes amdanynt i Fynydd Parys er, efallai, fod y mwynwyr lleol eisoes yn gyfarwydd â bodau o'r fath a'u bod yn gwybod am bresenoldeb coblynnod yn y gwaith. Disgrifir coblyn fel ysbryd drwg neu ellyll ond gallai coblyn fod yn ysbryd da hefyd ond bod hynny'n dibynnu ar y ffordd y byddai'r mwynwyr yn eu trin. Credid fod angen gadael rhoddion iddynt yma ac acw yn y gwaith, boed hynny'n fwyd, diod neu ddillad. I ddiolch am y rhoddion hyn byddai'r coblynnod yn arwain y gweithwyr i safle waith dda neu'n rhagrybuddio damwain ond pe bai rhywun yn eu pechu mewn unrhyw fodd, yna ni fyddai ffafriaeth ac yn aml byddent yn gadael y gwaith.

Byddent i'w clywed ym mherfeddion y gwaith ond nid oedd neb yn eu gweld. Gwyddai Lewis Morris amdanynt yn iawn ac roedd ganddo brofiad o'u gwaith da yng ngweithfeydd plwm Ceredigion. Ysgrifennodd at ei frawd William i'w trafod ond nid oedd hwnnw'n derbyn eu bodolaeth. Meddai Lewis, yn weddol bendant wrtho:

> *I have no time to answer your objection against Knockers; ... Just before the discovery of ore last week, three men together in our work at Llwyn Llwyd were ear-witnesses of Knockers pumping, driving a wheelbarrow, etc.*

Trafodwyd eu bodolaeth gan Edward Bingley hefyd:

> *I am acquainted with the subject only from report, but I can assure my readers that I found few people in Wales that did not give full credence to it ... In the year 1799 they were heard in some mines in the parish of*

Llanvihangel Ysgeiviog, (Gaerwen) in Anglesea, where they continued, at intervals, for some weeks.

Os oeddent yn ngwaith glo Pentre Berw, Gaerwen, does dim dwywaith eu bod yn bresennol ym Mynydd Parys hefyd a bod y gweithwyr yno yn gwybod amdanynt er, efallai, bod ambell un yn llai parod i gyfaddef hynny.

Mae stori am ambell i fwgan arall yn ymwneud â'r mynydd. Un o dai mawr Amlwch yw Mona Lodge a godwyd gan Ardalydd Môn yn gartref i reolwr y gwaith. Ymysg y teuluoedd a fu'n byw yno roedd James Treweek, ei wraig a'u plant. Chafodd y Treweekiaid mo'r amser brafiaf yn y cartref hwn gan i ddau fab iddynt fynd ar gyfeiliorn tra oeddent yn byw yno. Roedd un yn dad i blentyn llwyn a pherth a'r llall yn gor-yfed. Ar yr un pryd, cyhuddwyd eu tad o fod yn camddefnyddio arian y gwaith. Achosodd hyn gryn bryder i James a bu farw o dorcalon.

Dros y blynyddoedd, cafwyd sawl digwyddiad anesboniadwy ym Mona Lodge a fu'n ddychryn i'r preswylwyr. Symudwyd dodrefn, taniwyd stôf nwy, ceisiwyd agor drysau caeedig, taflwyd llestri, gwelwyd a theimlwyd presenoldeb ysbrydion aflonydd. Tybed ai James a'i gydnabod oedd yn dal i gael eu poeni gan ddigwyddiadau eu hoes?

Erbyn heddiw, ychydig iawn sy'n cofio am Fynwent y Meirch, Mynydd Parys. Bron nad oes neb ar ôl sy'n cofio'i lleoliad. Defnyddiwyd llawer o geffylau yn y gwaith a'r mwyafrif yn eiddo i William Hughes, Madyn Dysw. Os oedd yn ffodus, byddai hen geffyl yn ymddeol o'i lafur i bori yng nghaeau'r fferm ar gyrion tref Amlwch ond pe digwyddai damwain yn y gwaith a cheffyl yn marw, byddai'n cael ei gladdu ar y mynydd. Mae sawl marchog a pherchennog ci yn grediniol i'w hanifeiliaid allu synhwyro'r fangre ac iddynt wrthod yn lân a gosod troed ar ei phridd.

Pwy a ŵyr sawl stori bwgan a adroddwyd yng nghesail y mynydd dros y blynyddoedd ond roedd y gweithwyr yn llwyr gredu fod ymwelwyr arallfydol yn ymweld â'u safle gwaith. Onid oeddent wedi gweld canhwyllau corff fwy nag unwaith? Wrth groesi'r mynydd yn ystod oriau'r gwyll, hyd yn oed heddiw, mae rhywbeth am y lle sy'n gwneud i rywun daflu golwg frysiog dros ei ysgwydd a chyflymu'i gam.

Ffraethineb

Wrth weithio yn y fath le â Mynydd Parys, rhaid oedd cael dogn helaeth o hiwmor i dorri ar undonedd y gwaith ac i symud y meddwl oddi ar yr oriau hir a'r cyflog bychan.

Efallai bod Owen Griffith â gwên ar ei wyneb pan oedd yn disgrifio Rhodri Mawr (brenin Cymru 843 – 877), mor fawr o gorffolaeth nes bod ei gorff yn gorchuddio'r mynydd i gyd! A phwy a ŵyr nad efo'i dafod yn ei foch y disgrifiodd Dafydd Ddu Eryri dref Amlwch a'r gwaith fel 'ffau hynod drwg ddynion'? Mae'n siŵr bod tafod y sawl a ddisgrifiodd y mynydd fel 'Mynydd Tristlwyn' yn yr un fan hefyd! A beth am y sawl a fedyddiodd y copr pur yn *virgin*? Mae'n siŵr ei fod yntau'n gwenu rhyw gymaint. Tybed nad oedd Owan Hughes, 'Berach yntau wedi cael llond ei fol pan ddisgrifiodd dwll caled a sych fel 'gwymad engan'. Yn sicr, byddai'r ddau yr un mor anodd iddo adael ei farc arnynt!

Dyn go amhoblogaidd yn y gwaith oedd Capten Job ac mae'n siŵr iddo fod â rhan ym mhenodiad pwyswr a gâi foddhad o wneud bywyd yn annifyr i'w gydweithwyr. Un bore, gwelodd y capten fachgen ifanc yn cario rhywbeth yn llechwraidd dan ei gôt tua'r gwaith:

'Beth sydd gen ti?' gofynnodd.

'Cwrw,' meddai'r llencyn.

'Dwyt ti ddim i fod i gario cwrw i'r gwaith!' meddai'r capten yn ddigon surbwchaidd.

'Ond tydi'r pwyswr ddim yn dda iawn,' meddai'r bachgen, 'a phan fydd o'n teimlo'n gwla, mae rhyw ddiferyn yn ei wella.'

Roedd pwyswr newydd wrth ei waith erbyn bore trannoeth!

Dro arall, roedd saith pwyswr wedi gorffen eu stem (shifft) yn gynt nag arfer ac ar eu ffordd o'r gwaith yn gynnar pan ddaeth Capten Tiddy, un arall amhoblogaidd, wyneb yn wyneb â hwy. Rhag cael eu gorfodi yn ôl i'r gwaith, smaliodd un ohonynt lewygu i'r llawr gan rowlio yn y baw. Eglurodd ei gyfeillion mai mewn ffit yr oedd o ac meddai'r capten, yn llawn cydymdeimlad, '*Poor fellow. Pick him up and take him home at once.*' Codwyd y claf a'i gario o olwg y capten. Bu raid iddo gerdded gweddill y ffordd adref!

Rhoddodd Capten Tiddy hen drowsus i Owan Huws, 'Berach ond sylwyd nad oedd y trowsus i'w weld yn y gwaith. O holi ble'r oedd o, yr ateb a gafodd y capten oedd, 'Yn hongian wrth drawst y beudy a dau fifty six, un wrth bob coes iddo fo yn treio ei sdatu!'

Chafodd yr hen Owan 'run trowsus arall gan y capten wedi hynny!

Peth difyr yw hiwmor – yn arbennig pan fo'n digwydd yn hollol naturiol. Ni fyddai gan y gweithwyr amser i feddwl am jôcs, dim ond dweud y peth cyntaf a ddeuai i'w meddwl a hynny gan amlaf yn esgor ar sylwadau ffraeth a bachog, fel ag a ddigwyddodd yn 1860. Roedd anghydfod yn y gwaith ond er hynny, byddai'r gweithwyr yn dal i gynnal y cyfarfodydd gweddi. Yn ystod un gwasanaeth roedd Capten Tiddy yn sefyll, neu'n 'gwardio' yn nghwt Injian Carreg Doll. Roedd y peiriant wedi pwmpio dŵr yn hollol ddidrafferth o grombil y mynydd ers iddo gael ei osod yn ei le ond yn hollol ddirybudd, gyda sŵn rhuo mawr, ffrwydrodd y pwmp a malu'n deilchion. Cafwyd disgrifiad Beiblaidd bron o'r digwyddiad gan Owen Griffith: 'Cynhyrfodd y Capten yn ddychrynllyd – newidiodd ei liw, a'i feddyliau a'i cyffroisant ef, fel y datododd rhwymau ei lwynau ef, ac y curodd ei liniau ef y naill wrth y llall.' Ni welwn ddim bai ar y dyn, mewn gwirionedd. Mae'n siŵr ei fod yn credu bod ei 'awr fawr' wedi cyrraedd! Er iddynt fod mewn anghydfod â'r creadur tlawd, aeth rhai o'r dynion ato i'w gysuro a'i ymgeleddu a chlywyd un o'r mân stiwardiaid yn gweiddi, 'Ellis annwyl! Er mwyn Duw, picia at y chwaral mewn eiliad a 'sgytia y Robin 'Rhald yna rhag iddo weddïo 'chwaneg, ne' mi fydd pob olwyn ar y gwaith yn 'sgyrion cyn pen chwarter awr!'

Roedd Owan Huws yn un o gymeriadau mawr y mynydd ac er nad oedd, efallai, yn fwriadol ddoniol, roedd ei atebion a'i sylwadau yn rhai ffraeth iawn. Un diwrnod fe welodd Capten Job ef yn cyrraedd y gwaith yn hwyr un bore ac eglurhad Owan Huws oedd iddo aros i wrando ar yr adar – nid gymaint yn canu ond yn siarad. Clywsai'r gialchan yn dweud 'Treweek, Treweek, Treweek'; yna, clywsai'r dryw bach yn dweud, 'Llwgwr pobl! Llwgwr pobl! Llwgwr pobl!' a'r drudws, y cywion brain a'r jac-doua yn gweiddi, 'Job yn debyg, Job yn debyg, Job yn debyg'!

Roedd un o'r mwynwyr yn mynnu gwisgo hen het flêr Sul, gŵyl a gwaith. Gofynnwyd iddo gan gymydog pam ei fod yn mynnu gwisgo'r het hyll i bob man a'i ateb oedd, 'Mae'r wraig yn dweud na ddaw hi efo mi i unlle nes y bydda i wedi cael het newydd!'

Cwynai Jimi Bach fod sŵn y Copar Ladis yn ei fyddaru a'u bod yn siarad bymtheg yn y dwsin ar ben ucha'u lleisiau. 'Paid â phoeni, Jimi bach,' meddai Ned Willias, 'fe fyddan nhw'n siarad llai mis nesa.' Dim ond wedyn y sylweddolodd Jimi mai ar ddiwrnod olaf mis Ionawr y cafodd y sgwrs â Ned!

Clywyd William Evans yn brolio ei fod wedi gweld boeler mor fawr yn cael ei adeiladu nes bod angen 140 o ddynion i'r gwaith a'r rheiny'n sefyll mor bell oddi wrth ei gilydd fel na welent neb o un pen i'r flwyddyn i'r llall. I fod yn well na'i gyfaill, broliodd Wil Prisiart, Hen Felin iddo fo weld pwdin o faint Trwyn y Gogarth! 'Ella wir,' meddai William Evans, 'mai ar gyfer y pwdin hwnnw y gwnaed y boeler!'

Roedd Wil Prisiart yn gallu disgrifio pethau mor fyw nes dychryn ei gynulleidfa. Soniodd am ddull newydd o eillio drwy osod dwsin neu ddeunaw o ddynion i eistedd ar fainc â'u cefnau'n syth. Ar arwydd, tynnwyd lifer a ollyngai gyllell fawr i grafu'r wynebau. Mor fyw oedd ei ddisgrifiad nes bod Siôn Tomos yn grediniol fod ei drwyn yn gwaedu!

Yn ystod un shifft waith, roedd Wil, a'i ddau lygaid croes, yn byseddu ebill yn barod i daro'r graig.

'Wyt ti am daro lle wyt ti'n edrach?'

'Ydw siŵr. Lle arall?'

'Well i mi symud felly rhag i mi gael ebill yng nghanol fy ngwymad!'

Anfonodd Huw Roland ei gydweithwyr i fwyta gyda'r sylw, 'Yr Hollalluog a fyddo gyda chwi. Mi fydda inna hefyd, cyn pen chwarter awr.'

Afon Goch yw enw'r afon sy'n llifo o'r mynydd i'r môr. Yn wir, mae dwy afon o'r un enw yn ardal Amlwch a dŵr y ddwy ymhell o fod yn lân ac yn loyw. Wrth iddo groesi afon Goch, dywedir i un o'r mwynwyr edrych yn hiraethus ar y dŵr a dweud, pe bai ei flas cystal â'i liw, yna byddai'n atal y llif a photelu'r dŵr! Does dim dwywaith fod ei liw yn debyg i liw'r hyn a werthwyd yn nhafarnau'r dref.

Fel pob criw o weithwyr, roedd y mwynwyr yn gallu chwerthin am eu pennau eu hunain cystal â neb a throi unrhyw sefyllfa annymunol yn un ddoniol. Un tro, roedd un o'r mwynwyr yn gorwedd ar lawr yn griddfan mewn poen wedi damwain ddifrifol yn y gwaith. Cwynai fod ei esgyrn i gyd yn brifo wrth eu cyffwrdd. Aeth y stiward ato a chyffwrdd ei ben, ei goesau a'i freichiau a gofyn a oedd o'n teimlo'r boen. 'Na,' oedd yr ateb. 'Paid â phoeni felly,' meddai'r stiward, 'dim ond wedi torri dy fysedd wyt ti!'

Dro arall, yn y *George*, tafarn pentref Pen-sarn, safai hen ŵr eithriadol o hagr yr olwg yn yfed wrth y bar. Roedd ei ben yn foel a rhwydwaith o greithiau glas yn gwau drosto a'i ddwy glust yn llyfrïa. Daeth criw ifanc i mewn gan wneud hwyl am ei ben. Rhybuddiwyd hwy i fod yn dawel a pharchus gan i'r gŵr fod yn enwog fel un o 'arwyr y mynydd' am iddo sefyll a chynnal pwysau to siafft a oedd ar fin cwympo drwy ddal styllen bren yn ei lle efo'i ben am chwe awr! Ymddiheurodd y criw ifanc ond mentrodd un ofyn, 'Pam fod ei glustiau yn y cyflwr yna?' a chafodd yr ateb, 'Bu raid iddynt ei hoelio yn ei le er mwyn iddo aros yno!'

Syrthiodd Ifan Lloyd i lawr un o'r siafftiau. Bloeddiodd y stiward i lawr i'r tywyllwch, 'Wyt ti wedi torri rhywbeth?'

'Na, does yma ddim llawer o ddim byd i'w dorri!' meddai Ifan.

Gofynnodd Dic Robaits, yr 'handi-man', i'r stiward am fwy o gyflog gan nad oedd y 14 ceiniog a gâi yn ddigon i gadw'r teulu, yn enwedig gan fod 'carreg arall yn y ferfa'. Gwrthod wnaeth y stiward. Yn rhinwedd ei swydd, un o ddyletswyddau'r stiward oedd mesur maint y siafftau. Dic fyddai'n ei ollwng i lawr a'i godi o'r siafft ar raff. Wrth ei godi o un siafft, gofynnodd Dic, unwaith eto, am ragor o gyflog. Gwrthodwyd y cais a stopiodd y rhaff. 'Fedra i mo'ch codi,' meddai Dic, 'rydw i'n rhy wan.' Er bod y stiward yn erfyn arno i'w godi i'r wyneb, eglurodd Dic nad oedd ganddo ddigon o bres i brynu bwyd a heb fwyd, roedd ei nerth yn pallu ac os oedd ei nerth yn pallu ni fedrai godi'r rhaff na'r stiward. Cafodd addewid o 18 ceiniog o gyflog – ac i fyny â'r stiward! Dywedir mai honno oedd y drafodaeth fyrraf am godiad cyflog yn hanes y mynydd!

Gwrthododd y Dic arall fynd i'r capel ac o ganlyniad gwadwyd te bnawn Sul iddo ym Muarth y Foel. Gofynnodd Dic i Nel y forwyn a oedd y mistar wedi dweud nad oedd hi i roi swper iddo chwaith. Ni chafwyd neges o'r fath. 'Mi gymera' i fy swper rŵan 'ta,' meddai Dic a bwyta llond ei fol. Bwytaodd gymaint nes mynd i gysgu ym mon y das wair. Tra oedd yn cysgu, roedd criw o'r gweision fferm wedi taenu uwd dros ei fol a'i frest. Pan ddeffrodd Dic, roedd mewn cymaint o ddychryn nes gweiddi bod ei fol wedi byrstio!

Y Llyn Tanddaearol

Er mai'r tawelwch yw un o brif nodweddion Mynydd Parys erbyn hyn, bydd ymwelwyr yn siŵr o deimlo rhyw ias o'r gorffennol yno. Ni all neb wadu dyddiau pell, prysur y gwaith gan fod olion y prysurdeb hwnnw ym mhob man. Ond tan yn ddiweddar, roedd un arwydd anweledig o'r gorffennol yno hefyd. Llyn o ddŵr tanddaearol oedd hwnnw, llyn yng nghrombil y mynydd a chan nad oedd i'w weld, ychydig a boenai amdano ond roedd yn fygythiad gwirioneddol i dref a thrigolion Amlwch.

Un o brif nodweddion tywydd blynyddoedd cynnar yr unfed ganrif ar hugain yw glaw trwm sy'n achosi llifogydd mewn amryw o ardaloedd yn y Deyrnas Gyfunol. Yn 2003, daeth perygl o lifogydd i dref Amlwch, nid yn gymaint oherwydd y glaw trwm a ddisgynnodd mewn ychydig oriau neu ddyddiau ond oherwydd fod dŵr glaw wedi cronni dros gyfnod o ddegau o flynyddoedd a ffurfio llyn tanddaerol ym Mynydd Parys.

Codwyd argae concrid, tanddaearol yn y mynydd yn ystod y 1950au a'r tu ôl iddo roedd llyn o ddŵr asidig wedi cronni. Treiddiodd y dŵr glaw drwy holltau yn y graig sy'n cynnwys amrywiaeth o fetalau gwahanol. Amcangyfrifwyd fod tua 50,000 litr ^{3} o ddŵr yn y llyn ac i'r dŵr, a oedd yn debyg, ond yn wannach ei gyfansoddiad, i'r hylif o fatri car a'r un lliw â gwin coch, fod wedi erydu argae concrid a godwyd i atal y dyfroedd rhag llifo o'r gwaith tanddaearol. Pe bai'r argae wedi ei chwalu gan bwysau'r dŵr, byddai'r perygl o lifogydd yn nhref Amlwch wedi bod yn ddybryd; byddai trychineb amgylcheddol yn sicr o fod wedi digwydd. Oherwydd cyflwr yr argae a'i oedran nid oedd modd rhagfynegi pryd y byddai'r llifogydd yn debygol o ddigwydd. Gallai ddigwydd unrhyw funud!

Derbyniwyd cymhorthdal o £20,000 gan Gyngor Sir Ynys Môn i hybu'r gwaith archwilio yn yr argae ac i wagio'r llyn. Dros gyfnod o tua chwe wythnos bu timau o arbenigwyr yn pwmpio'r dŵr o'r llyn er mwyn gwaredu'r bygythiad i Amlwch a chwalu'r argae. Llifodd y dŵr i afon Goch (Dulas) ac i'r môr. Er gwaetha'r llygredd a oedd ynddo, nid oedd y lefelau llygredd cymaint â'r hyn sydd yn yr afon. Hi yw ail lygrydd mwyaf Môr Iwerddon â metalau gwenwynig. Syrthiodd lefel y dŵr 70 metr ac o wneud hynny cafwyd mynediad i hen lefelau anghysbell y *Mona Mine*. Bellach, mae'r dŵr gwastraff yn llifo ar hyd adit/ffos Dyffryn Adda ac i afon Goch Amlwch. Do, gwagiwyd y llyn a diogelwyd y dref.

Y Dyfodol

Daeth y cloddio am gopr i ben ym Mynydd Parys yn 1917. Ailddechreuwyd archwilio'r gwaith o 1955 ymlaen, gyda sawl cwmni â'u bryd ar gloddio mwyn y Garreg Las – cyfuniad o blwm, sinc a chopr. Er darganfod y mwyn yn y mynydd, nid oedd y cyfanswm na'i safon yn ddigon i wneud y fenter yn llwyddiant masnachol. Bu'r cwmni *Anglesey Copper Mines (UK) Ltd.* yn tyllu ar y mynydd hyd at 1962. Mentrwyd drilio 11 twll ond ni ddaeth dim o'r fenter. O 1966 ymlaen, am gyfnod o bedair mlynedd, bu'r *Canadian Industrial Gas and Oil Company Ltd. (CIGOL)* yn tyllu 52 o dyllau ond, eto, heb lwyddiant.

Yn 1973 darganfuwyd cyflenwad o fwynau plwm, copr a sinc a pheth aur ac arian ar y safle a chloddiwyd siafft newydd – Siafft Morris.

Yn dilyn arolwg a wnaed yn 1984, credai'r *Anglesey Mining Co. Ltd.* fod hyd at 4.5 miliwn tunnell o fwyn yn y mynydd ac ym mis Mai 1986, gwnaeth y cwmni gais i'r Cyngor Sir am ganiatâd i ddatblygu gwaith mwyn newydd yno. Wedi trafodaethau dros ddeunaw mis, caniatawyd y cais – gydag amodau, gan fod adeiladau hanesyddol ac ardaloedd o ddiddordeb gwyddonol ar y mynydd angen eu diogelu.

Cafwyd caniatâd cynllunio yn 1988 fel bod y cwmni yn gallu gweithio heb wneud colled ariannol. Ar y pryd, roedd pris sinc, yn fyd-eang, wedi codi a hynny'n codi eu gobeithion ond yn anffodus, ni chafodd y cwmni gymaint o lwyddiant ag yr oeddent wedi ei ddisgwyl.

Mae'r cwmni'n parhau i chwilio am sinc a chopr, gan obeithio darganfod ychydig o aur ac arian yn y mwyn hefyd. Gobaith arall oedd y byddai pris mwynau yn gyffredinol yn codi er mwyn ariannu'r fenter ymhellach. Trafodwyd â chwmni o Awstralia gyda'r bwriad o dyllu mwy a chyflogi mwy o weithwyr. Eto, ni phrofwyd llwyddiant ysgubol er y rhagdybiwyd fod 34% o fwynau'r mynydd yn gopr ac i'r gronfa o gopr y rhoddwyd y sylw mwyaf gan fod pris copr wedi codi'n aruthrol ym mlynyddoedd cyntaf yr unfed ganrif ar hugain. Rhwng 2005 a 2008, canolbwyntiwyd ar ddwy ardal – Garth Daniel yn y dwyrain ac ardal y Graig Wen yn y gorllewin – a chredid fod gobaith gallu codi hyd at fil tunnell y dydd.

Yn wyneb holl broblemau dirwasgiad 2008, a methiant y cwmni i ddod i delerau â *Western Metals Limited*, Perth, Awstralia ynglŷn â gwerthiant/

pryniant safle Mynydd Parys, bu raid cau'r gwaith ym mis Hydref 2008.

Ar hyn o bryd (haf 2010), mae'r offer a'r safle waith yn parhau i fod ar gau ac er bod ychydig arwyddion o welliant yn y farchnad fwynau fyd-eang ers 2009, parhau i bendroni wna'r *Anglesey Mining Company, plc* heb roi dim sicrwydd i ddyfodol mwyngloddio ar y mynydd.

Yn 1990, cyhoeddwyd erthygl yn y cylchgrawn Saesneg *Private Eye* a awgrymai'n gryf fod defnydd arall yn cael ei ystyried ar gyfer y mynydd. Yr awgrym a wnaed oedd y byddai'r safle'n cael ei defnyddio i storio deunydd ymbelydrol. Aethpwyd cyn belled ag awgrymu pam ei bod yn safle mor addas:

i) yn ddaearyddol ddelfrydol. Ar wahân i un safle arall yng nghanolbarth Lloegr (na fyddai byth yn cael ei hystyried beth bynnag) dim ond ym Mynydd Parys, Llŷn ac yn yr Alban y ceid y creigiau delfrydol i wneud safle o'r fath yn ddiogel;

ii) yn agos i'r arfordir. Mae porthladd Porth Amlwch yn agos iawn gyda chyswllt hwylus â'r mynydd a'r ffaith fod porthladd dŵr dwfn ar gael yn safle'r Wylfa;

iii) yn agos at systemau trafnidiaeth eraill megis rheilffyrdd a ffyrdd, e.e. A55. Ceir trac rheilffordd ar draws Ynys Môn y gellid ei addasu'n gymharol hawdd, gan gysylltu â phrif reilffordd Llundain i Gaergybi;

iv) yn agos at safle Gorsaf Ynni Niwcliar yr Wylfa. Er bod oes weithredol yr orsaf yn prysur ddirwyn i ben, erbyn 2010, mae'n weddol bendant fod 'Wylfa B' ar ddyfod i'r ardal.

Hyd yma, ni chlywyd mwy am y peth – dim cadarnhau na gwadu – ond roedd yr erthygl yn crybwyll y gallai cynllun o'r fath ddod i rym pan ddeuai oes ddefnyddiol y mynydd fel cloddfa mwyn copr a mineralau eraill ddod i ben. Felly pwy a ŵyr pa newyddion a ddatgelir yn y dyfodol.

Fodd bynnag, efallai bod 'dyfodol' y mynydd wedi cyrraedd erbyn hyn. Ym mis Mawrth 2010, cyhoeddwyd fod £470,000 o arian y Loteri Genedlaethol wedi ei neilltuo ar gyfer Ymddiriedolaeth Treftadaeth Ddiwydiannol Amlwch (AIHT) i ddatblygu cynllun y Deyrnas Gopr a fydd yn canolbwyntio ar droi'r mynydd anial yn atyniad i ymwelwyr, gydag arweinyddion yn egluro ac arwain teithiau cerdded i ddangos olion y gwaith. Ar yr un pryd, bydd peth o'r arian yn cael ei ddefnyddio i hyfforddi gweithwyr i ailafael yn rhai o hen grefftau'r ardal a'r gwaith ac i ddatblygu sgiliau cadwraethol. Gobeithir y bydd cynllun sy'n canolbwyntio ar orffennol un o safleoedd hanesyddol pwysicaf Ynys Môn yn ei adfywio ar gyfer y dyfodol.

Mentrodd Edward Greenly (3 Rhagfyr 1861 – 4 Mawrth 1951) y sylw fod dau anialwch i'w cael ym Môn. Un yw arfodir tywodlyd Llanddwyn a Niwbwrch a'r llall – Mynydd Parys. Crewyd un gan Dduw a'r llall gan ddyn. Efallai bod llaw Duw yn graddol ailffurfio'r arfordir drwy gyfrwng stormydd a newidiadau daearegol dros ganrifoedd ond, mwy na thebyg, ni fedr llaw yr Hollalluog ei hun fyth newid anialwch Mynydd Parys wedi i ddyn ei ddifwyno.

'Diffeithwch ar ei ben ei hun yw Mynydd Parys wedi ei guddio gan domeni rwbel glas a choch a melyn a du ac yn ei ganol ddau dwll mawr ...' yn ôl Bobi Jones. Ond er disgrifio'r lle fel 'anialwch' neu 'anialdir', nid yw'r enwau hynny'n gweddu iddo'n union chwaith gan mai ardaloedd di-law a mannau difywyd yw'r rheiny. Ond nid felly Fynydd Parys. Mae tua metr (856 mm) o law yn disgyn yno bob blwyddyn. Nid lle difywyd ydyw chwaith gan fod Natur yn prysur hawlio'i thiriogaeth yn ôl. Erbyn heddiw, mae toreth o eithin a grug i'w gweld ar y mynydd ynghyd ag ambell glwstwr o fysedd cochion a chan fod cymaint o wastraff gardd wedi cael ei daflu yno, mae bron i ddau gant o blanhigion eraill i'w gweld yn tyfu yno. Y tu mewn i rai o'r siafftiau, mae ystlumod yn cartrefu a chen cerrig yn ailffurfio. Yn y siafftiau ac yn rhai o'r pyllau dŵr mae algae a llysnafedd prin wedi datblygu ac yn ailgynefino yno. Uwchben, mae brain, brain coesgoch a jac y do i'w clywed yn crawcian ac ambell aderyn arall, llai o ran maint, e.e. ehedydd a phibydd y waun, yn bwydo ar bryfetach. Dan draed, gwelir ambell wiber yn gorffwyso yng ngwres yr haul. Yn wir, mae cymaint o fywyd gwyllt wedi ailgartrefu ac ailgynefino yno nes bod sawl rhan o'r mynydd wedi'u nodi'n Safleoedd o Ddiddordeb Gwyddonol Arbennig. Mae'n siŵr y byddai Erasmus Darwin yn ymfalchïo yn hynny o beth ac yntau'n un o'r naturiaethwyr cynharaf i ddod i grwydro ac ymchwilio'r mynydd yn 1790. Ef a gofnododd fod cen arbennig yn tyfu mewn amgylchfyd lle mae lefel uchel iawn o fetalau, gan ddangos purdeb yr aer o'i gwmpas. Mae'r rhod wedi troi yn llwyr erbyn hyn a'r safle, unwaith eto, yn cael ei defnyddio i nodi tyfiant gwahanol fathau o gen a mesur faint o sylffwr deuocsid a llygredd sydd yn yr aer o gwmpas.

Eithr erys y gwaith ar y graig yn graith o hyd.

Atodiadau – Cyfoeth o Enwau a Thermau

Siafftiau

Siafft yr Adar

Siafft Beer/Bier – 90 llath o ddyfnder

Siafft Black Rock – 90 llath o ddyfnder

Siafftiau Bluestone, Boundary a Brimstone

Siafft Bulkeley – enw teuluol teulu Baron Hill, Beaumaris

Siafftiau Cairns, Calciner, Cerrig y Bleiddia a Carreg Liddan

Siafft Chapel

Siafft Charlotte – enw ail wraig a merch Ardalydd Môn. Credwyd fod bwgan yma. Cred arall yw mai stori a grewyd i gadw gweithwyr draw o safle dda a chynhyrchiol ydoedd.

Siafft Colonel

Siafft Coronation – cafodd ei hagor ar ddydd coroni Siôr y Pedwerydd ar 19 Gorffennaf 1821. Parhaodd y gwaith o ffrwydro'r graig â phowdr gwn o godiad haul hyd at un ar ddeg y nos a chymerwyd yr achlysur yn esgus i gyfeddachu a gloddesta ac er i ddau gael eu hanafu, parhau wnaeth y gloddesta ymysg y gweithwyr a'r perchenogion. Chwifiai baner yr Undeb uwchben y mynydd ac aeth pawb gartref efo sŵn 'Hir oes i'r brenin' yn atsain yn eu clustiau. Bedyddiwyd y dafarn ym Mhen-sarn gydag enw'r brenin ac yno y bu un o'm hen ewythrod yn dathlu ac yn drachtio'i ddogn o gwrw yn dyddiol ar ôl ei lafur yng Ngwaith Hills. Y cytundeb oedd y byddai'n cael peint am bob llwyth a gariai o'r gwaith. Dywedir iddo fwynhau hyd at wyth peint bob nos! Nid oedd dathliadau tebyg yn ddiethr i'r gweithwyr a byddai dathlu genedigaeth aer neu ben-blwydd perchennog yn rheswm da dros loddesta, a hynny ar draul penaethiaid y gwaith a'r perchenogion. Cafwyd dathliad rhwysgfawr arall i gofio coroni'r brenin William y Pedwerydd yn 1831.

Siafft Craig y Doll a Cwt

Siafft Dinorben – a nodir ar fap Henry Davies o Riwabon (1859)

Siafftiau Drifft Mawr a Dyer

Siafft Engine Shaft

Siafft Evans – 120 llath o ddyfnder

Siafft Fawr – agorwyd yn 1904, y siafft olaf i'w gweithio ar y mynydd

Siafft Fentar Aur/Golden Venture – siafft gyntaf y mynydd (80 llath o ddyfnder)

Siafft Francis

Siafft Garden

Siafft Gardd Daniel – agorwyd llifddrws yn y siafft bob gwanwyn er mwyn i'r dŵr a oedd wedi cronni yng nghrombil y mynydd gael ei ryddhau i byllau paent Dyffryn Adda

Siafft Garnedd (Siafft Cairns) – 100 llath o ddyfnder

Siafft Garreg-y-Ddôl – 90 llath o ddyfnder

Siafft Garreg Las

Siafft Glan Felin/Siafft Glai – 80 llath o ddyfnder

Siafft Graig Ddu

Siafft Gwen – y ddyfnaf o siafftiau'r mynydd; 900 troedfedd

Siafft Henry – 100 llath o ddyfnder

Siafftiau Hen Waith, Hill Side a Hughes

Siafft Ida

Siafft Job

Siafft Lemin – 90 llath o ddyfnder

Siafft Little Stephens

Siafft Mariah – un o ferched Ardalydd Môn

Siafft Marquis – 180 llath o ddyfnder

Siafft **Mona**

Siafft Morgan Richard

Siafft Morris – siafft ddiweddaraf y mynydd a enwyd ar ôl Dr Huw Morris, cadeirydd cwmni *Anglesey Mining, plc* ac a agorwyd ar 20 Ionawr 1989 gan Wyn Roberts, A.S.

Siafft Newydd

Siafftiau Ogof, Old Blue Stone a Old Engine

Siafft Pearl – Pearl oedd enw hoff geffyl Ardalydd Môn; 200 llath o ddyfnder

Siafftiau Pen Bonc, Pen y Nant a Pulley
Siafft Quarry

Siafft Road a Royal

Siafft Saunderson – 140 llath o ddyfnder

Siafft Shoni

Siafft Sidney – siafft wael i weithio ynddi

Siafft South Engine – a nodir ar fap Henry Davies o Riwabon (1859)

Siafft Stephens

Siafft Tal Dyffryn a Terfyn

Siafft Tiddy – 80 llath o ddyfnder

Siafft Tiddy Newydd – yr olaf i'w sincio yng ngwaith y *Mona Mine Co.*

Siafft Treweek – 180 llath o ddyfnder

Siafftiau Tiddy Newydd a Ty'n Mynydd

Siafft Vice Royal (Viceroy) – 100 llath o ddyfnder

Shiafft Water Whimsey

Siafft Wen – ger Tyddyn Pen y Nant

Siafft Western

Siafft Whimsey – 180 llath o ddyfnder

Siafft White Rock

(Amcangyfrifir fod dros 150 o siafftiau ar y mynydd. Gan fod cynifer yno, syndod mawr yw na chwympodd llawer mwy ohonynt.)

Safleoedd Eraill ar y Mynydd

Afon Goch (Ceir dwy afon sydd â'r un enw yn ardal y mynydd):

i) Afon Goch (Amlwch) – ar ochr ddwyreiniol y mynydd ac yn llifo drwy Ddyffryn Adda ac i'r môr ym Mhorth Offeiriad. Cafodd ei henw am fod y dŵr wedi ei lygru gan fwynau a chemegolion o'r gwaith copr.

ii) Afon Goch (Dulas) – ar ochr ddwyreiniol y mynydd ac yn llifo i'r môr yn Nulas. Ei henw gwreiddiol oedd Afon Dulas ac felly y cyfeiriwyd ati gan y Morrisiaid ond oherwydd llygredd newidiodd lliw y dŵr fel yn achos Afon Goch (Amlwch).

Afon Wen – afonig fechan sy'n tarddu i'r gorllewin o dref Amlwch ac sy'n uno ag afon Goch. Arferai fod yn llawn carthffosiaeth a llygredd.

Bell Rock

Cairns Stope/Stope Mawr – gwaith Huw Huws, Penygraigwen

Capel Bozrah, Pensarn – capel a sefydlwyd drwy bresenoldeb a ffyddlondeb llawer o weithwyr Mynydd Parys

Carreg Doll – craig wael

Chwarel yr Eidion/Chwarel yr Ych – un ai safle gwledd o gig eidion a gynhaliwyd yn flynyddol i ddathlu darganfod gwythïen gopr gyntaf y mynydd gan Roland Puw, neu i ddathlu coroni William y Pedwerydd yn 1831

Y Doman Fawr – tomen o rwbel a gwastraff o'r Open Cast. Ar waelod y domen roedd bwthyn Cadi Rondol.

Drifft Mawr

Dyffryn Adda – o Bentrefelin i lawr i Amlwch a'r Borth

Dyffryn Coch – o'r lle llifai afon o'r mynydd. Oherwydd y mwynau yn y dŵr, roedd yr afon a'i glannau wedi newid eu lliw.

Footways – i gysylltu gwahanol rannau o'r gwaith. Roedd yno Henry Footway, Parys a Mona Footway a.y.b.

Gallery Drive – llawr gwaith y mynydd

Golden Venture – man cychwyn y gwaith

Graig Ddu

Graig Wen

Gwaith Hills – gwaith cemegol ym Mhorth Amlwch a oedd yn ddibynnol ar frwmstan o'r mynydd. Sefydlwyd y gwaith gan Charles Henry Hills, perchennog gwaith cemegol yn Deptford, Llundain yn 1840 i gynhyrchu gwrtaith o frwmstan rhad a digonol o'r mynydd. Safai'r gwaith ar benrhyn Llam Carw ym Mhorth Amlwch. Wrth i lai a llai o frwmstan gael ei gynhyrchu yn y gwaith, cytunodd Hills ag Evan Evans o'r gwaith i galsineiddio'r mwynau a godwyd yno ar yr amod ei fod yn cael cynhyrchu asid sylffiwrig o'r brwmstan a ffurfiwyd. (Calsineiddio = llosgi mwyn er mwyn ei wahanu oddi wrth y brwmstan naturiol. Wrth losgi, roedd y brwmstan yn cynnal y tân.) Codwyd gwaith newydd yn y Borth i'r diben hwn. Wrth ddefnyddio'r asid a ffosffadau wedi'u mewnforio, canolbwyntiodd Hills ar gynhyrchu gwrtaith. Erbyn diwedd y bedwaredd ganrif ar bymtheg (1897), roedd cynnyrch y mynydd mor isel fel bod gwaith Hills yn ddibynnol ar fewnforio cemegolion i barhau i gynhyrchu gwrtaith. Roedd Hills yn sgut am frolio'i waith a'i gynnyrch ac yn y wasg leol gwelwyd hysbysebion a honnai mai ei gynnyrch ef oedd y gorau ar gael a bod yr amrywiol wrteithiau yn amrywio o wrtaith cyffredinol i rai llawer mwy arbenigol megis *bone manure* – i'w hau gyda dril, gwrtaith tatw, gwrtaith grawn a gwair yn cynnwys amonia a nitrogen angenrheidiol, *phospho* – giwana o Beriw, a *superphosphate* – ar gyfer pannas a rwdins. Roedd cynnyrch y gwaith yn cael ei roi mewn sachau 112 lbs. Pe digwyddai i sach neu ddau syrthio o'r drol pan fyddai llwyth yn cael ei gario i fyny'r allt o'r Borth i Amlwch, gallai fy hen ewyrth Lewis eu codi a chario sach o'r fath o dan pob cesail gan adael i'r ceffyl a'r drol fynd o'i flaen. Câi beint o gwrw am bob llwyth a gariai mewn diwrnod. Fo oedd yr unig un o gwsmeriad tafarn *George IV* ym Mhen-sarn i yfed wyth peint bob nos a'r unig un, hefyd, i dalu am ei gwrw ei hun – ar y penwythnos!

Cyn adeiladu tai Craig y Don, Porth Amlwch arferid defnyddio'r hen enw ar yr ardal honno – Gwaith Hills. Cyd-ddigwyddiad rhyfedd yw mai gwaith cemegol arall (*Ethyl* neu'r *Great Lakes*) fu ar y safle o ganol yr ugeinfed ganrif hyd at ei gau yn nechrau'r unfed ganrif ar hugain.

Gwaith Robin Ellis

Gwaith yr Hwntw Mawr – safle danddaearol â mynediad iddi drwy'r Twll Drwg

Hill Side

Hughes Incline

Iard Charlotte – ger yr iard yma y gweithiai'r Copar Ladis

Yr Iard Frwmstan

Iard Mona Mine – hanner acer o iard wedi ei chau i mewn gan waliau uchel – tua deg troedfedd o uchder. Yn yr iard lleolid swyddfeydd, gefail gof, tŷ calch, bwthwal yr elor, clochdy, cwt y wagen goed, ystorfa olew ac amrywiol offer, llofftydd i gadw moresg, hoelion, hetiau caled i'r goruchwylwyr a.y.b., ystordy ffiwsus, pwll llifio, todd-dy, gweithdy saer, *assay* offis, tŷ samplo a stablau. Rhwng y tŷ samplo a'r swyddfeydd roedd pulpud i gapel yn Rhos-y-bol.

Iard Parys Mine – llai o ran maint na Iard Mona Mine, tua chwarter milltir i'r gorllewin

Injan Tŷ Main – yn ymyl Fron Heulog

Lôn Gopar – y ffordd o'r mynydd i Borth Amlwch

Capel Lletro(e)d, Pen-sarn – capel a sefydlwyd gan John Evans, saer yn y mynydd. Roedd yn byw yn nhyddyn Lletroed a oedd yn eiddo i Ardalydd

Môn. Tra oedd yn addasu'r adeiladau allanol, cafodd ganiatâd i godi capel tua 1780.

Llwybrau: Llwybr Parys; Llwybr Mona; Llwybr Henry

Llyn Coch – llyn dŵr glân i'r dwyrain o Dal Dyffryn

Llyn Mines – llyn bedydd-trochi i gapeli Bethel, Carmel, Glanrafon a Salem. Llyn Maip ar lafar gwlad.

Melin Wynt y Mynydd – melin wynt a phump hwyl iddi (yr unig un o'i bath ym Môn) a adeiladwyd yn 1878 ac a ddefnyddid i gynorthwyo pympiau codi dŵr o Siafft y Garnedd (Cairns). Credir mai hon yw'r unig felin bump hwyl sydd wedi goroesi ym Mhrydain.

Mona Mine – '*always lagged behind the Parys Mine in efficiency of administration and operation ...*'

Morfa Du – safle lle bu cloddio am gopr ar ochr ogledd-ddwyreiniol y mynydd rhwng 1881 ac 1904

Yr Open Cast Llai – safle waith ar y mynydd a oedd yn agored i'r awyr ac a ddefnyddid cyn dechrau cloddio siafftiau dyfn. Roedd siafftiau cymharol fas eisoes wedi'u cloddio a phan gwympodd nenfwd y rheiny ffurfiwyd gagendor fawr a oedd yn llawer haws i'w gweithio. Gweithiwyd yr Open Cast Llai gan gwmni'r *Mona Mine*.

Yr Open Cast Mawr – safle waith fel yr uchod a oedd yn cael ei gweithio gan y *Parys Mine Co.*

Pearl Engine/Engine Cerrig y Bleiddia – lleolwyd y peiriant trawst Cernywaidd mewn adeilad arbennig sydd erbyn heddiw, yn anffodus, yn dadfeilio'n gyflym. O'i golli, bydd un o adeiladau mwyaf trawiadol y mynydd yn diflannu. Yn yr adeilad yma y lleolwyd un o'r peiriannau stêm cyntaf yng ngogledd Cymru yn 1819 i godi dŵr o Siafft Pearl. Prynwyd y peiriant gan Gwmni Haearn Abaty Glyn Nedd a'i gludo i Fôn.

Gweithiwr haearn oedd Thomas Newcomen wrth ei alwedigaeth a phregethwr cynorthwyol efo'r Bedyddwyr yn ei amser rhydd. Cafodd ei eni yn Dartmouth, Dyfnaint. Yn 1712 dyfeisiodd beiriant stêm i godi dŵr o byllau dwfn ar gyfer y gweithfeydd cloddio yng Nghernyw. Datblygwyd a diweddarwyd y peiriant hwn gan James Watt i ddefnyddio stêm dan bwysedd uchel. Datblygiad o beiriant Watt oedd un arall gan Richard Trevithick yn 1812. Dyma'r Peiriant Trawst Cernywaidd (*Cornish Beam Engine*) a chan fod cymaint o fewnfudwyr o Gernyw wedi cyrraedd i Amlwch, digon naturiol oedd iddynt ddod â'u technoleg efo nhw.

Mewn peiriant o'r fath, mae trawst llorweddol cydbwysol wedi ei gysylltu yn un pen â silindr stêm ac â silindr bwmpio yn y pen arall. Wrth i'r trawst symud i fyny ac i lawr, mae'n cyplysu gwaith y ddwy silindr.

Pulpud – ar y pulpud y cedwid dau lyfr: 'Llyfr y Tributers' a 'Llyfr y Tutworkmen'. Roedd y pulpud yn rhan o un o gapeli Rhos-y-bol a ddymchwelwyd oherwydd camddealltwriaeth am berchenogaeth y safle. Gorchmynnwyd y gweithwyr i ddymchwel y capel ond ni werthwyd y pulpud na'r seddau ac felly fe'u gadawyd yn y mynydd.

Y Pwll/Twll Mawr – ffurfiwyd hwn pan syrthiodd y gweithfeydd tanddaearol. Parhawyd â'r gwaith yn y twll agored.

Pyllau Haearn – Pyllau Heyrn y Gorllewin. Pyllau Heyrn Merica. Pyllau gwaddodi. Pyllau dŵr wedi'u llenwi â haearn sgrap a dŵr. Teflid yr haearn i'r dŵr a thrwy adwaith cemegol byddai'r copr yn y dŵr yn troi'n llwch neu bowdr. O'i brosesu, gellid ad-ennill copr pur o'r powdr. Wrth i'r haearn adweithio â'r aer, roedd yn cael ei dynnu o'r dŵr a hwnnw'n ocr neu bowdr lliw oren a fyddai'n cael ei ddefnyddio i wneud paent.

Pyllau Paent – gweler uchod

> *... An impure sulphate of copper water is pumped from the old mine into shallow pools in which scrap iron is placed. The copper from the water precipitates on the iron and is collected and sold as copper precipitate. The water then passes on to other shallow ponds, and there forsm deposits of ochre, an impure oxide of iron ...*

Rhos-dan-y-wasgod – Rhos-y-bol

Tomen y Bala

Twll Drwg – mynedfa danddaearol i Waith yr Hwntw Mawr ar ochr ddwyreiniol yr Open Cast

Tŷ'n Lôn, Gwredog – getws i fferm Gwredog, rhwng Amlwch a Rhos-goch, lle byddai gweithwyr Mynydd Parys yn cyfarfod ar brynhawn Sul i ymladd ceiliogod. Sefydlwyd Ysgol Sul yno yn 1819 i roi terfyn ar y 'chwarae annuwiol'.

Western Incline

Y Vudrol – y cemegolyn *Vitriol*, gyda'i enw wedi ei Gymreigio gan weithwyr y mynydd. Asid wedi ei gynhyrchu o sylffwr deuocsid ydoedd a gâi ei ddefnyddio mewn batris ceir, i brosesu mwynau, mewn gwrtaith, yn y diwydiant cemegol a.y.b. Sefydlwyd y *Mona Vitriol Company* yn 1803 gan Dr Joshua Parr ger Trysglwyn Isaf. Partneriaid iddo oedd James, George a William Webster. Cynhyrchai'r gwaith sylffad o gopr (*vitriol* glas) ac alum ar gyfer gwneud lliwiau ac i lifo lledr ond ni fu'r un fenter yn llwyddiant ysgubol.

Iaith y Gwaith

Achub y cyfla – manteisio
Adit – ffos/llwybr/twnnel dŵr
Agen – hollt yn y graig
Altro – newid neu addasu
Apad – ateb
Ardreth – rhent
Arian gleision – darnau arian gloyw
Ar y Ciarpad bag – o flaen eu gwell
Bachiad – cael gwaith
Bargeinio – dod i gytundeb am bris gwaith a hynny'n amrywio rhwng tair punt y dunnell a dim ond dimai y dunnell!
Bargen – safle i weithio y cytunwyd arni
Benagoliaid – crwydriaid a gysgodai yn y cwt boeler dros nos
Berwedydd – boeler
Brwmstan – (*brimstone*) – sylffwr
Caban – lle i gysgodi neu i 'fochal'
Caritor – cymeriad
Carreg daro – (*Knockstone*) – engan y Copar Ladis, wedi ei wneud o haearn a fesurai 25 cm x 20 cm
Carreg las – (*blended ore*) – math arbennig o fwyn
Carreg yn y ferfa – ychwanegiad i'r teulu
Cap Ebill – gwellt wedi ei rwymo am flaen y dril wrth dyllu er mwyn ceisio lleihau faint o ddŵr oedd yn dianc o'r graig ac yn tasgu am ben y tyllwr
Capten – teitl anrhydeddus a roddwyd i asiant neu stiward – yn arbennig felly yng Nghernyw. Yr un a oedd yn gyfrifol am drefniadau dyddiol y gwaith.
'Catch pits' – pyllau haearn
'Chain ladder' – ysgol hyblyg
Cibl – pwced i godi cynnyrch o'r gwaith
'Cinders' – golosg
Clytiau – haen denau o fwyn pur
Cnapiau – darnau o graig tu maint ŵy iâr
Codymau – y graig yn syrthio neu'n cwympo
Colli – haen o graig yn dod i ben
Copr haearn – copr o ddŵr y pyllau haearn

Copar Ladi – un o ferched y myndd a dorrai'r mwyn yn gnapiau
'Copper precipitate' – copr haearn. Gwaddod y pyllau paent.
'Crosscuts' – i gysylltu un galeri ag un arall, wedi ei dorri drwy'r graig ar ongl sgwâr
Cryshar – peiriant i falu cerrig/mwyn
Crystyn coch – (*Gossan*) ocsid o haearn a chwarts – arwydd sicr fod mwyn i'w gael o gloddio amdano. Haen o bridd ar ochr ddeheuol y mynydd. Roedd cof gan fy niweddar ewythr, William Williams, Cefn Pali Rhos-y-bol am gario'r crystyn coch o'r mynydd efo trol a cheffyl.
Cwrcwd – cyrcydu; plygu'r pen-glin i led eistedd
Cymerwr – y sawl oedd yn cymryd bargen i'w gweithio
Cyrtsi – moesymgrymiad
Chwimsi – peiriant i godi mwyn o waelod y gwaith i'r wyneb a gâi ei weithio gan geffyl neu stêm
Dol – gair Cernyweg am ddyffryn
Dreifio – tyllu o un siafft i un arall
Drifft – twnnel o un siafft i un arall neu o un rhan o'r gwaith i'r llall
'Duties' – trethi
Dŵr copr – dŵr yn llawn sylffad copr
Dŵr yn casglu – byddai cymaint â 75 galwyn o ddŵr y funud yn casglu yn y gwaith tanddaearol – ond gallai'r pympiau ymdopi yn hawdd â hynny a'i glirio.
Dyled – yr hyn a oedd wedi ei wario yn y stôrs ac a fyddai'n cael ei dynnu o'r cyflog. Efallai bod y ddyled yn fwy na'r cyflog dyledus ambell dro.
Ebill – offeryn i dyllu. Cŷn hir.
Enhuddo – gorchuddio
Esmwythdod – cyfnod o gyflogau uchel
Fathom – mesur fertigol neu lorweddol yn y gwaith – o chwe throedfedd (digon agos i daldra dyn)
'Fifty six' – pwysau o 56 pwys (hanner cant)
'French ochre' – gwaddod a ddefnyddid i wneud paent/lliw
Fferu – oeri
Ffilsi ffalsan – ffalsio/cyfrwystra
Ffiws – er diogelwch, i'w redeg am bellter o'r powdr gwn ar gyfer tanio
Fflantian – ysgwyd i oeri
Ffling – taflu

Fflodiardau – llifddorau i ddal y dŵr yn ôl
Ffritian – mud-ferwi
Ffowndro – cymysgu neu mopio'n lân ulw!
Ffwrnais – 'furnace'
Gillwng – gollwng
Goruchwyliaeth – y broses o arolygu gwaith
'Guess' – amcan o faint oedd mewn tomen ar gyfer pennu cyflog
Gwaelodion – rhan ddyfnaf y gwaith
Gwaith gola' dydd – 'opencast' yn hytrach nag yn nhywyllwch y siafftiau
Gwardio – cysgodi neu guddio
Gwymad – wyneb
'Halvaners' – y rhai a oedd yn tyrchu yn y tomenni wast am gopr
Het Jim Cro' – het gorun uchel â chantal llydan
Honour – gweithio heb gyflog
Hwyaden Wellt – clustog o wellt i led-eistedd neu benlinio arni wrth weithio a thyllu
Hwylio samplau – swydd a ddaliwyd gan Llew Llwyfo ar un adeg. Cadw sampl o gerrig mewn berfa dan glo er mwyn gallu prisio'r gwaith yn deg.
Hwylus – medrus
Iard – llawr gwaith
Inclên – llwybr neu lethr i hwyluso symud cynnyrch
'Iron pyrites' – aur y ffŵl; diwerth
'Lapstone' – calan hogi
Les – cytundeb parthed gosod tir
'Lessees' – y sawl oedd yn cymryd les
'Lode' – mwyn
Llafur – gwaith
Llanciau – gair Môn am fechgyn ifanc neu ddynion
Llawrfa – ystafell waith
Llechwr – un yn gosod llechi
Llwybr Troed/Footway – grisiau wedi'u naddu yn wyneb y graig er mwyn symud o un lefel i'r llall
Maddau dyled – anghofio/anwybyddu dyledion i'r stôrs
Mentrwr – y sawl oedd â chyfranddaliadau yn y cwmni ac a oedd yn ariannu'r gwaith
Merched Mynydd Parys – Morynion Amlwch; y Copar Ladis

Mwyn – craig a oedd yn cynnwys metal
Mynd i lawr Llan – mynd i Amlwch
Mynedfa – (*culvert*) – llwybr i'r mwg o'r domen losgi
Mynd i lawr – gweithio dan ddaear
Ocr – ocsid o haearn i wneud paent
Odyn – lle i grasu
Ofnatsan – ofnadwy
Ownars – perchenogion y gwaith
Partneriaid – cydweithwyr mewn bargen
Paent daear – 'native ochre'
'Pigeon holes' – lle i gadw offer gwaith
Pilar – craig a gynhaliai bwysau'r to mewn twnnel
'Pitcher' – dril blaen llydan a ddefnyddid i agor y twll cyntaf
Pitshio twll sych – craig heb ddŵr yn treiddio drwyddi ac yn anodd i'w thyllu
Plyndro – mynd ag arian oddi ar y tlodion
Pocedi – corff purach ei natur o gopr
Powdr – powdr gwn i chwythu (ffrwydro) y graig
Pwyswr – fel arfer, plentyn i un a oedd wedi ei ladd drwy ddamwain yn y gwaith
'Raises'– i gysylltu un galeri ag un arall; wedi ei dorri i fyny neu i lawr drwy'r graig
'Regulus' – rhwng 8% a 12% o gopr a gaed o dunelli o fwyn
Relievio – cymryd drosodd
'Rich' – cyfoethog mewn mwyn
Sadwrn pae/tâl – diwrnod cyflog a oedd yn digwydd bob pythefnos
Siafft – mynedfa fertigol i'r twnnel tanddaearol
Sgytian/sgytio – ysgwyd
Stem – shifft; wyth awr o dan ddaear; deuddeg awr ar yr wyneb
Stiward – arolygydd y gwaith
'Stopes' – agoriad tanddaearol
Stôrs – siop y cwmni a werthai anghenion gwaith
Streic – gwrthod gweithio oherwydd anghydfod
Swyddfa Assay – lle i raddio copr yn ôl ei burdeb
Syrfeio – archwilio
Taflu drosti – dod â sgwrs i ben yn fuan

Taliwr – (*tally man*) – fel arfer, rhywun wedi ei anafu a fyddai'n cael y gwaith o glandro cyflog
Talpiau – darnau mawr o graig; drabiau
Teisen – ingot o gopr
Todd-dai – 'smelting works'
Tomen – pentwr o wastraff gan amlaf
'Trammer' – fel arfer, y glaslanciau a oedd yn gyfrifol am gerbydau i gario cynnyrch y gwaith
'Tributers' – gweithwyr yn derbyn cyfran am eu hymdrechion yn y gwaith
'Tutworkmen' – y rhai a oedd yn tyrchu'r twnelau tanddaearol
Twll dŵr – twll gwlyb, diwreichion
Tyntri – o'r Saesneg '*turntree*'
Tŷ Powdr – lle i gadw powdr gwn
Tŷ samplo – lle gosodid y pris ar y cerrig a godwyd o'r ddaear
Verdigris – yr hyn a gynhyrchir pan fo copr yn dod i gysylltiad ag aer; lliw gwyrdd
'Virgin' – copr purach na'r cyffredin
Wast – y gweddillion ar ôl tynnu'r mwyn
'Whimses' – siafft fer i gysylltu gwahanol lefelau
Windio – codi o waelodion y gwaith i'r wyneb drwy droi rhaff/cebl ar ddrwm
'Workbags' – cwdyn i gario offer a llinyn crychu i'w gau
Wymsi – peiriant i ollwng/codi gweithwyr neu offer i waelodion y gwaith. Cysylltwyd pwced (cibl) i olwyn oedd yn cael ei throi gan ddau geffyl. Heddiw, ar safle'r wymsis, gwelir rhai o'r ychydig blanhigion sydd yn tyfu ar y mynydd am fod y pridd dan draed y ceffylau wedi ei gyfoethogi â'u baw a heb ei lygru gan gemegolion.
Y Llan – tref Amlwch

Mynydd Parys

Ar dy grib bro anniben – a welir
Ond gwelaf mewn heulwen
Y grymoedd yn dy gramen
A'th harddwch mewn hagrwch hen.

John Parry
(Englyn buddugol Eisteddfod Môn, Amlwch, 2009)

Llyfryddiaeth

Arthur Aikin, *Journal of a Tour through North Wales* (Llundain, 1797)
E. Cocksutt, *The Parys and Mona Copper Mines* (CCHaNYM, 1960)
H. Rees Ellis (Gol.), *Rhwng Môr a Mynydd* (Cyngor Gwlad Môn, 1962?)
G. Wynne Griffith, *Helynt Coed y Gell* (Caernarfon: Swyddfa'r Goleuad, 1928)
Owen Griffith, *Mynydd Parys* (Caernarfon: Cwmni'r Wasg Genedlaethol Gymreig, 1897)
J. R. Harris, *The Copper King* (Landmark Publishing, 2003)
Bryan Hope, *A Curious Place. The Indistrial History of Amlwch (1550 – 1950)* (Bridge Books, 1994)
H. J. Owen, *From Merioneth to Botany Bay* (Bala: R. Evans & Son, 1952)
Gwyn Parry a Steve Makin, *Mynydd Parys* (Seren Books, 1990)
Eryl Wyn Rowlands, *Mastiau a Siafftiau* (Pwyllgor Gwaith Mileniwm Amlwch, 2000)
John Rowlands, *Copper Mountain* (Anglesey Antiquarian Society, 1981)
Y Parch. John Skinner, 'Ten Days Through The Isle of Anglesea December 1802' *Archaeologia Cambrensis* (1908)
Elizabeth Williams, *Hanes Môn yn y 19eg ganrif* (1927)

Safleoedd Gwe Fyd Eang:
www.parysmountain.co.uk
www.amlwchhistory.co.uk
www.copperkinmgdom.co.uk
www.walkamlwch.co.uk

Cyfres Llyfrau Llafar Gwlad – rhai teitlau

42. AR HYD BEN 'RALLT
    Enwau Glannau Môr Penrhyn Llŷn
    Elfed Gruffydd; £4.75
44. WIL MOG A CHREFFT Y BARDD GWLAD
    Arthur Thomas; £3.50
45. 'DOETH A WRENDY . . . '
    Detholiad o ddiarhebion - Iwan Edgar; £4.25
46. 'FYL'NA WEDEN I'
    Blas ar dafodiaith canol Ceredigion
    Huw Evans a Marian Davies; £4.25
47. 'GYM'RWCH CHI BANED?'
    Traddodiad y Te Cymreig - E.G. Millward; £3.50
48. HYNODION GWLAD Y BRYNIAU
    Steffan ab Owain; £4.25
49. O GRAIG YR EIFL I AMERICA
    Ioan Mai; £3.50
50. Y CYMRY AC AUR COLORADO
    Eirug Davies; £3.50
51. SEINTIAU CYNNAR CYMRU
    Daniel J. Mullins; £4.25
52. DILYN AFON DWYFOR
    Tom Jones; £4.50
53. SIONI WINWNS
    Gwyn Griffiths; £4.75
54. LLESTRI LLANELLI
    Donald M. Treharne; £4.95
57. Y DIWYDIANT GWLÂN YN NYFFRYN TEIFI
    D. G. Lloyd Hughes; £5.50
58. CACWN YN Y FFA
    Ysgrifau Wil Jones y Naturiaethwr; £5
59. TYDDYNNOD Y CHWARELWYR
    Dewi Tomos; £4.95

60. CHWYN JOE PYE A PHINCAS ROBIN – ysgrifau natur
Bethan Wyn Jones; £5.50
61. LLYFR LLOFFION YR YSGWRN, Cartref Hedd Wyn
Gol. Myrddin ap Dafydd; £5.50
62. FFRWYDRIAD Y POWDWR OIL
T. Meirion Hughes; £5.50
63. WEDI'R LLANW, Ysgrifau ar Ben Llŷn
Gwilym Jones; £5.50
64. CREIRIAU'R CARTREF
Mary Wiliam; £5.50
65. POBOL A PHETHE DIMBECH
R. M. (Bobi) Owen; £5.50
66. RHAGOR O ENWAU ADAR
Dewi E. Lewis; £4.95
67. CHWARELI DYFFRYN NANTLLE
Dewi Tomos; £7.50
68. BUGAIL OLAF Y CWM
Huw Jones/Lyn Ebenezer; £5.75
69. O FÔN I FAN DIEMEN'S LAND
J. Richard Williams; £6.75
70. CASGLU STRAEON GWERIN YN ERYRI
John Owen Huws; £5.50
71. BUCHEDD GARMON SANT
Howard Huws; £5.50
72. LLYFR LLOFFION CAE'R GORS
Dewi Tomos; £6.50
73. MELINAU MÔN
J. Richard Williams; £6.50
74. CREIRIAU'R CARTREF 2
Mary Wiliam; £6.50
75. LLÊN GWERIN T. LLEW JONES
Gol. Myrddin ap Dafydd; £8.50
76. DYN Y MÊL
Wil Griffiths; £6.50
78. CELFI BRYNMAWR
Mary, Eurwyn a Dafydd Wiliam; £6.50

Cyfrolau o ddiddordeb yn yr un gyfres

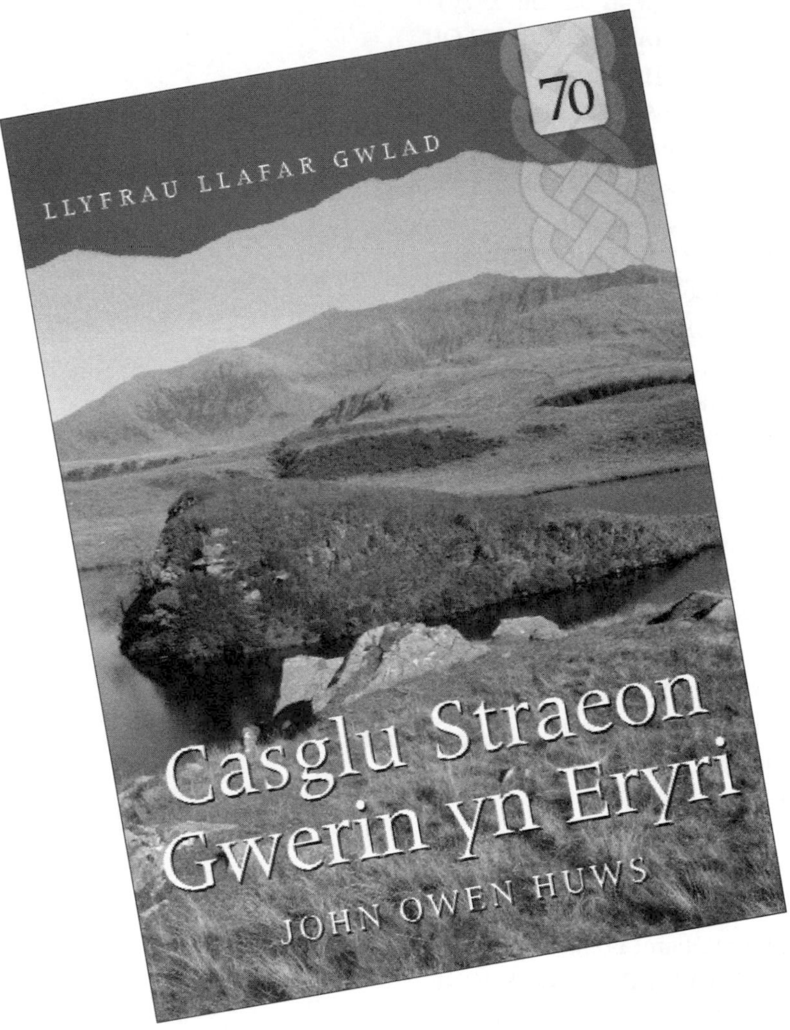

Cyflwyniad i gasglu llên gwerin

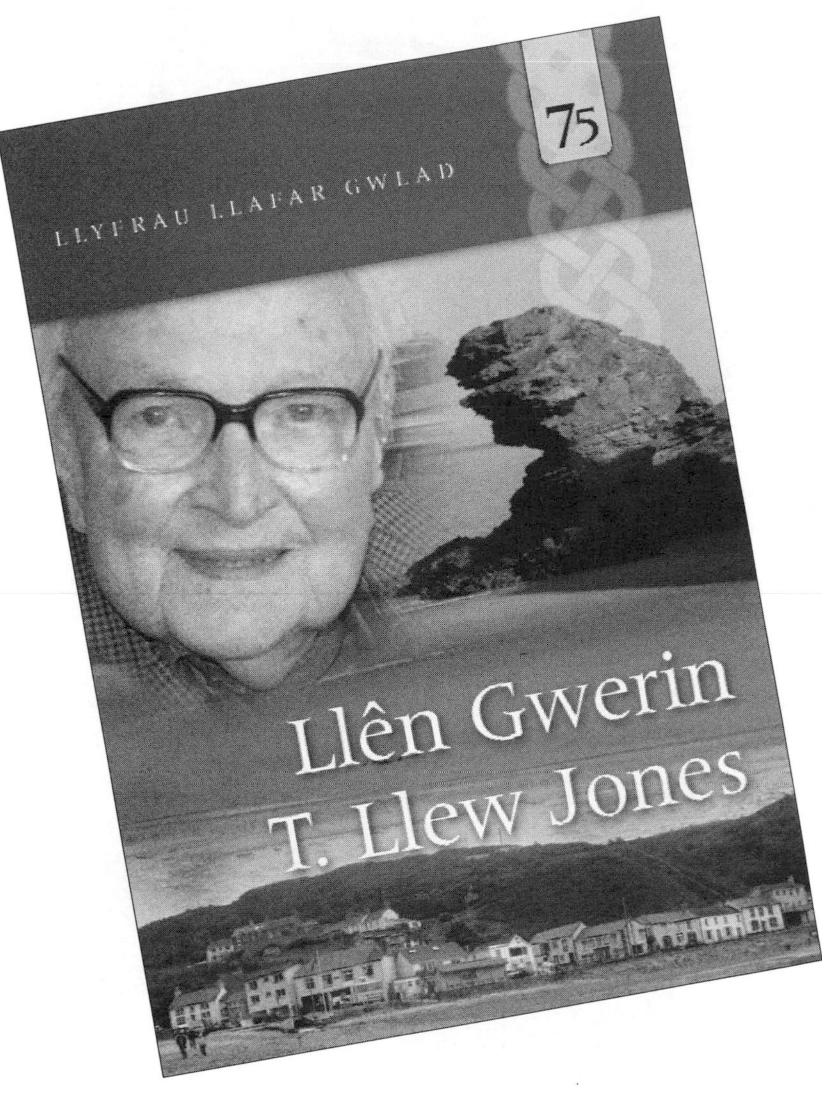

Casgliag o ysgrifau llên gwerin un o gymwynaswyr pennaf ***Llafar Gwlad***

Un arall o gyfrolau difyr J. Richard Williams